El juego de la lujuria

El juego de la lujuria

Emma Hart

Traducción de
Laura Fernández Nogales

TERCIOPELO

Título original: *The Right Moves*

© Emma Hart, 2014

Primera edición: junio de 2016

© de la traducción: Laura Fernández Nogales
© de esta edición: Roca Editorial de Libros, S. L.
Av. Marquès de l'Argentera 17, pral.
08003 Barcelona
actualidad@rocaeditorial.com
www.terciopelo.net

Impreso por LIBERDÚPLEX, S.L.U.
Crta. BV-2249, km 7,4, Pol. Ind. Torrentfondo
Sant Llorenç d'Hortons (Barcelona)

ISBN: 978-84-15952-95-4
Depósito legal: B. 10.187-2016
Código IBIC: FRD

RT52954

Abbi

*S*olo necesitas uno.

Un pensamiento. Un segundo. Una caricia. Un cúmulo de pequeñas cosas que se van sumando unas a otras hasta convertirse en algo más grande. En una más grande. Pero que sigue siendo solo una cosa. Y esa única cosa basta para cambiar toda tu vida.

Y lo hace de un modo irreparable, inexplicable, irreversible.

Ya han pasado dos años desde que esas pequeñas cosas se sumaron por primera vez y me enamoré de Pearce Stevens. Ya hace dos años que sentí el dulce aleteo del primer amor seguido del suave impacto del enamoramiento. Ya hace dos años que las cosas que más me importaban se desmoronaron y caí de cabeza en el oscuro abismo de la depresión.

Si entonces hubiera sabido lo que sé ahora, habría tomado otras decisiones. Habría ignorado las ilusiones de un corazón adolescente, habría dejado pasar el tiempo, habría luchado contra los impulsos y me habría protegido de aquellas caricias. Si hubiera sabido lo que ocurriría los meses siguientes y la dirección que iba a tomar mi vida, me habría subido en el primer avión en dirección al Caribe.

Pero no lo sabía, y tampoco tenía forma de saberlo. ¿Cómo podía haberlo siquiera imaginado? Jamás pensé que aquellas pequeñas cosas se convertirían en algo tan grande, y nunca imaginé que regresarían pocos meses después de haberlas sentido por primera vez.

Pero la segunda vez fue un pensamiento más oscuro. Fue un segundo negro, un impulso que se me tragó como un desagüe, una caricia mortal. La primera vez que vi la sangre que me goteaba por el tobillo a causa del corte accidental que me había hecho mientras me afeitaba las piernas, y la contemplé con la cuchilla en la mano, fue un momento que me cambió la vida, tanto como enamorarme de Pearce. Fue un momento que ya no podré cambiar nunca. No puedo borrarlo y no puedo fingir que no ocurrió.

Forma parte de mí, igual que Pearce. Forma parte de mi pasado, y esos son los dos momentos que han definido mi vida. Si alguien me preguntara qué salió mal, diría que fue por Pearce Stevens y esa cuchilla. Y por mucho que me suplicaran, no sería capaz de explicarlo.

No sería capaz de explicar por qué me enamoré del hermano de mi mejor amiga, ni tampoco por qué no me alejé de él antes de que fuera demasiado tarde. Jamás conseguiré explicar con palabras por qué fui incapaz de dejar de verlo a través del cristal rosa con el que lo miraba, por qué no podía verlo tal como era y es.

Jamás seré capaz de explicar lo que me empujó a hacerme el primer corte en la piel. A fin de cuentas, uno no puede explicar lo que no entiende y, a veces, es mejor no entender algunas cosas.

Me inclino sobre la bañera y contemplo el agua negra que se escurre de mi pelo recién teñido. El agua oscura resbala por la bañera y gira alrededor del desagüe para desaparecer de mi vista con la misma facilidad que lo hacía mi sangre hace ya tanto tiempo. Sigo aclarándome el pelo hasta que el agua sale limpia, me aplico champú, me enjuago y me envuelvo el pelo con una toalla oscura.

He convencido a mi padre para que me llevara a la

tienda a comprar el tinte en contra de la opinión de mi madre. Ella no entiende por qué necesito poner distancia con la persona que era el año pasado. No creo que lo comprenda nadie, y tampoco lo puedo explicar. Lo único que sé es que ya no soy la misma Abbi que antes, y la nueva Abbi es una persona diferente. Y al separar esas dos mitades de mí, puedo avanzar con mi nuevo yo. O por lo menos, eso es lo que me explicó la doctora Hausen. También me dijo que de esa forma estaría dando un paso en la dirección correcta, que sería algo positivo.

Y necesito ese positivismo. Ese es el motivo por el que mi habitación, que antes era de un femenino color rosa pálido, sea ahora de color azul brillante y violeta. Es positivo. Es diferente. Es nuevo.

Como yo. Soy completamente nueva.

Me siento sobre el edredón nuevo que cubre la cama y me miro al espejo. Ahora me brillan mucho más los ojos y ya no tengo las mejillas hundidas. Me toco la mejilla con delicadeza e inspiro hondo. Se me escapa un mechón de pelo de la toalla, el color, prácticamente negro, destaca mucho sobre mi piel pálida.

Agacho la cabeza hacia delante, me seco el pelo con aspereza y la vuelvo a echar hacia atrás. Paseo la mano por la cama en busca del cepillo y lo deslizo por los mechones. Me concentro en ese movimiento repetitivo y, cuando acciono el secador, sigo sin pensar en nada. Solo me dejo llevar.

No pienso que el corcho que está colgado encima de mi escritorio y que antes estaba lleno de fotografías, ahora está vacío. No pienso en que me han tirado todos los diarios y que tres cuartas partes de mi guardarropa contiene prendas de ropa nuevas. No pienso en esa gran parte de mi pasado que he tirado a la basura. Ni en las muchas cosas de las que todavía sigo huyendo.

¿Pero de verdad estoy huyendo si me tengo que enfrentar a él cada día?

Me parece que no. No se puede decir que esté huyendo si, en realidad, sé muy bien dónde quiero estar. Solo se trata de tomar la decisión consciente de cambiar.

Dejo el secador a mi lado sobre la cama y me miro al espejo cepillándome el pelo una última vez. Y sonrío. No me parezco en nada a la antigua Abbi y, por un segundo, brilla una chispa de luz en mis ojos. Es fugaz, pero está ahí y, aunque sea efímera, siempre es mejor que nada.

Mi madre abre la puerta de la habitación y asoma la cabeza. Antes de volverme para mirarla, oigo como inspira con aspereza. Se está tapando la boca con la mano como si creyera que así yo no me voy a dar cuenta de que se ha quedado boquiabierta. Como si pensara que, de esa forma, puede ocultar el horror que reflejan sus ojos abiertos de par en par.

—Tú… ¿Por qué?

Me paso un dedo por los mechones oscuros con nerviosismo.

—Necesitaba cambiarlo. Me recordaba demasiado a antes.

—Pero ¿por qué, Abbi? Tenías un pelo muy bonito.

Me vuelvo a mirar en el espejo.

—Porque mi exterior es lo único que puedo cambiar —susurro—. No puedo cambiar mi interior, por lo menos no es tan fácil, pero esto sí que lo puedo cambiar. Y lo he hecho. Lo necesitaba, mamá.

Se hace el silencio mientras ella reflexiona sobre lo que le he dicho.

—No lo entiendo.

Yo niego con la cabeza.

—No tienes que entenderlo. Solo tienes que aceptarlo.

—Yo… Supongo que tampoco puedo hacer mucho más.

Vuelvo a negar con la cabeza. Me toco el brazo y me

deslizo los dedos por debajo de la manga, me acaricio las cicatrices, las marcas que siempre escondo al resto del mundo.

—Es mejor que la alternativa. Cualquier cosa es mejor que eso.

Mamá deja escapar un suspiro tembloroso y yo me busco el pulso con el pulgar como hago siempre que recuerdo. El ritmo constante de la sangre viajando por mi cuerpo me recuerda que sigo viva. Mi corazón sigue latiendo y mis pulmones siguen respirando. Sigo existiendo.

—Sí, es mucho mejor —conviene mi madre, y cruza la habitación para sentarse a mi lado en la cama. Nuestros reflejos están uno junto al otro, y la única diferencia que hay entre nosotras es nuestra edad. Y nuestro color de pelo. Su pelo rubio es exactamente del mismo tono que era el mío hace dos horas. Alarga el brazo, me coge de la mano y me mira a los ojos a través del espejo—. ¿Hay alguna otra cosa que sientas que debas hacer?

—¿Como qué?

—No lo sé, Abbi. He pensado que como quieres cambiar un poco, podríamos ir a la peluquería. Ya sabes, para que nos hagan un cambio de imagen. Nos vendrá bien a las dos. Incluso nos podemos hacer las uñas.

Trago saliva. Noto lo fuerte que me está cogiendo de la mano y sé lo mucho que le está costando sugerirme esto. Lo difícil que es para ella aceptar que su Abbi ya no volverá. Que la ha perdido para siempre.

—Me encantaría —le contesto muy sincera—. Puede que sea lo que necesito. Quizá eso se lleve el resto, que lo elimine.

—No hace falta eliminar nada. Solo construiremos recuerdos nuevos para reemplazar los antiguos. —Mamá se levanta—. Mañana llamaré a la peluquería. Y ha llamado Bianca, puedes volver a su clase mañana mismo. Han aceptado a algunas de sus alumnas en la Escuela Juilliard, y mañana se incorporan algunas chicas nuevas. Cree que sería el momento perfecto para ti. Le he dicho que te lo comentaría y que la volvería a llamar. ¿Le digo que irás?

«*Ballet*. Juilliard». Mi mayor sueño. Lo único que me ayuda a seguir adelante. Lo único que me salvó cuando pensaba que ya no quedaba nada que salvar.

—Sí, mamá, por favor. Mañana voy.

—Perfecto.

Sale de mi habitación, cierra la puerta y vuelvo a quedarme en silencio.

Silencio: mi mejor amigo y mi peor enemigo.

Me vuelvo a pasar los dedos por la muñeca con suavidad y cojo el iPod. La pantalla brilla y presiono el botón de reproducción aleatoria. Empieza a sonar Snow Patrol, me tumbo en la cama y me acurruco de lado.

Juilliard corea muy flojito en mi cabeza mientras el sueño se va apoderando de mí.

Me ciño la correa de la bolsa de baile al estómago y noto cómo me golpea las rodillas cuando abro la puerta de la escuela de baile de Bianca con indecisión. Tengo una bola de nervios en el estómago, estoy tensa, pero sé que aquí estoy a salvo.

Bianca es una de las pocas personas que comprende de verdad mi deseo y mi necesidad de bailar. El día que la doctora Hausen sugirió que empleara la danza como terapia, Bianca se presentó en el gimnasio. Lo que empezó siendo una sesión a la semana, pronto se convirtieron en tres, tanto allí como aquí, en su escuela, y ella me ayudó a salir del centro. Ella fue quien me recordó la libertad que se siente al ponerse el maillot y atarse el lazo de las zapatillas de *ballet*. Además, también es lo más parecido a una amiga que tengo ahora que Maddie ya no está por aquí.

Observo la clase de baile que tan bien conozco: la pared de espejos, la barra en la pared del fondo, el piano de la esquina. Dexter, el pianista y tío minusválido de Bianca, me saluda desde una esquina. Yo le devuelvo la sonrisa y noto cómo me relajo un poco. Pero solo un poco, porque sé que la sala enseguida se llenará de personas que no conozco.

Dos manos esbeltas se posan sobre mis hombros desde atrás.

—He notado la tensión que desprendes desde el otro lado de la pista de baile. Respira y relájate, Abbi, porque esas zapatillas no van a bailar solas.

—Estoy asustada —susurro justo cuando se abre la puerta.

—Ya lo sé. —Bianca baja las manos y me rodea, se detiene delante de mí y se agacha para mirarme a los ojos—. Recuerda que has venido a bailar, chica fuerte, y todo irá bien.

—A bailar.

Suelto una larga bocanada de aire mientras contemplo el creciente número de alumnos que se reúnen junto a las sillas.

—Y además es algo que haces muy bien. Aquí estás a salvo.

Y lo sé. Sé que aquí nada ni nadie puede conmigo, en especial cuando mi mano toca esa barra y empieza a sonar la música. Dondequiera que me voy cuando empiezo a bailar… es un lugar seguro.

Me acerco a la esquina y me quito los pantalones del chándal y el jersey; debajo llevo la ropa de baile. Me pongo las zapatillas y paso el dedo por los lazos de satén. Suaves. Seguros.

Pego los ojos al suelo con la absurda idea de que nadie me dirija la palabra. Tengo la esperanza de que nadie se dé cuenta de que estoy aquí porque, como ha dicho Bianca, he venido a bailar. No he venido a hacer amigos ni a relacionarme, solo a bailar.

Cuando me detengo veo el reflejo de mis zapatillas en el espejo. Estiro los dedos ante la expectativa, coloco la mano sobre la barra y curvo los dedos alrededor del metal frío. De repente me siento ligera, y la sensación se lleva el ahogo permanente de la depresión. Solo dura un segundo, pero con ese segundo me basta. En ese segundo percibo a la chica que podría ser, y suspiro con relajación por primera vez desde que he entrado en la sala.

Bianca da una palmada y acalla el murmullo de voces.

—No pienso plantarme aquí para presentarme ni explicar lo que hacemos en esta escuela. Si no me conocéis o no sabéis por qué estáis aquí, entonces os habéis equivocado de clase, chicas.

»Pero sí os advertiré una cosa: olvidaos de todo lo que habéis aprendido sobre danza. Cuando os pongáis las zapatillas en esta clase, os estaréis entregando al arte del *ballet*, y no a los tecnicismos.

»El *ballet* no tiene nada que ver con el ritmo, con ejecutar un paso a la perfección o con sacar las mejores notas de la clase. El *ballet* sirve para contar una historia. Sirve para coger los sentimientos y las emociones que lleváis dentro, sacarlos, y expresarlos mediante movimientos perfectos de vuestro cuerpo. El *ballet* es un baile que nace y crece partiendo de lo que somos sin importar lo que signifique para vosotras, y si pensáis otra cosa, estáis en la clase equivocada.

Pasea la vista por las bailarinas que aguardan junto a la barra, nos examina, como si con una simple mirada pudiera saber si pensamos lo mismo que ella.

—Lo que tenéis que saber sobre cómo funciona mi clase, es que una no deja de ser bailarina porque no esté en la pista de baile. Espero que os dejéis la piel. Espero que vengáis tres noches a la semana durante dos horas, y luego espero que sigáis trabajando en casa. Asistiendo a clase de baile seis horas a la semana no llegaréis a las expectativas y exigencias medias de Juilliard. ¡Qué digo!, si yo misma le dedico más tiempo a mi pelo cada semana.

»Me da igual que bailéis en una clase, en la ducha, en pleno Central Park —bailad en la carretera si queréis—, pero tenéis que bailar. Todos los días. Y si no lo hacéis, me daré cuenta. Sabré que no lo habéis hecho aunque sea un solo día, porque vuestro cuerpo os delatará.

»No quiero que ninguno de vosotros acabe en la clase equivocada. Quiero veros en la clase correcta. A algunos de vosotros ya os conozco y ya sé que estáis en la clase correcta, pero los demás lo tendréis que demostrar.

Se da media vuelta y pega un golpe sobre el piano: su tío empieza a tocar.

—¿Y qué pasa si nosotras creemos que estamos en el sitio correcto, pero no es así? ¿También te darás cuenta? —pregunta alguien desde la otra punta de la barra.

Bianca se da la vuelta y esboza media sonrisa.

—Por supuesto.

—¿Y entonces qué?

—Entonces tendréis que dejar mi clase, porque habrá otra chica de la ciudad que merecerá estar aquí. Debéis saber que yo solo enseño a las mejores, y todavía no he tenido ni una sola alumna que no haya llegado a Juilliard. Hay un motivo por el que solo doy dos clases a la semana. Vosotras sois una de esas clases, y la otra está formada por niñas de siete años, y la mayoría llevan conmigo desde que empezaron a caminar con un año. Si las niñas de siete años pueden con esto, espero que un grupo de jóvenes adultas como vosotras también pueda.

—¿Alguna vez has echado a alguna alumna?

—Cada vez que empieza un curso nuevo —contesta con aspereza—. Ahora ponte a calentar antes de que te conviertas en la primera.

Reprimo una sonrisa y me esfuerzo por ponerme seria mientras comienzo con el calentamiento. Recuerdo haber oído el mismo discurso el día que Bianca entró en el gimnasio, y recuerdo haberle preguntado las mismas cosas y haber recibido idénticas respuestas. Y por eso le cogí tanto cariño, porque al contrario que mucha de la gente que conoce mi pasado, ella no me miraba de forma diferente. Para ella yo era —y sigo siendo—, una chica con un sueño, y todo lo demás le da igual.

Los movimientos del calentamiento me resultan muy familiares. La puerta del aula se abre mientras empiezo a agacharme en un *demi-plié*. La sensación de que alguien me está observando me recorre la piel, noto sus cosquillas en la nuca y me resbala por la espalda. No quiero hacerlo, ni siquiera lo necesito, pero levanto la vista.

Camina con la espalda recta y sus pasos son seguros, cosa que le delata: es bailarín. Y además llega tarde. Tiene el pelo oscuro, corto y despeinado, y su evidente acento británico flota por encima de las notas del piano. Recorro su cuerpo con los ojos, desde sus anchos hombros hasta esos brazos tan bien definidos. Son brazos de bailarín: fuertes y delicados al mismo tiempo. Las caricias de sus enormes manos deben de ser ásperas y suaves.

Solo una bailarina podría deducir que él también lo es. Tiene cuerpo de jugador de fútbol, pero es demasiado guapo para dedicarse a eso. «Mierda». ¿Acabo de decir que es guapo? «¿Qué estoy haciendo?». No debería estar aquí esforzándome para no desnudar con los ojos al Guapísimo Chico Británico.

Asiente una vez y se vuelve hacia mí. O hacia la clase, pero es a mí a quien mira. Nuestros ojos se encuentran por un segundo, y casi pierdo el paso. No es difícil advertir que tiene los ojos verdes, se ven incluso desde la otra punta de la clase. También es evidente que me está mirando y que, cuando lo hace, el interés brilla en sus ojos.

Y no puedo ignorar el recelo que anida en mi pecho… O el aleteo que revolotea en mi tripa cuando me vuelve a mirar a los ojos. Trago saliva, aparto la mirada y me convenzo de que me estoy imaginando el interés que he visto en sus ojos, y la intensidad que me ha empujado a mirarlo tanto como lo he hecho.

No he venido a mirar al Guapísimo Chico Británico. He venido a bailar, nada más.

El sueño, Abbi: Juilliard.

Blake

—¡*M*ierda, mierda, mierda! —murmuro por lo bajo mientras me apeo de uno de esos brillantes taxis amarillos que parecen estar por toda la ciudad.

Pensaba que solo salían en las películas y esas cosas, pero ya veo que no.

La correa de la bolsa se me queda enganchada en el picaporte de la puerta, y casi me caigo al desengancharla. No había planeado empezar mi nueva vida en Nueva York llegando tarde a mi primera clase de baile. En realidad, nunca había pensado que asistiría a ninguna clase que no fuera en Juilliard, pero ahora no puedo pensar en eso. No puedo pensar en ella, si lo hago volveré a llamar a ese estúpido coche amarillo, me subiré y regresaré a mi carísimo apartamento.

Me echo la bolsa al hombro y miro el edificio que tengo delante. Es antiguo y parece que no encaje en Manhattan. En lugar de ser un rascacielos acristalado como todos los edificios que lo rodean, este es de ladrillo rojo, y en la fachada cuelga un cartel que reza: «Escuela de Baile Bianca». Me despeino el pelo con los dedos y me pregunto si habré tomado la decisión correcta. Por millonésima vez.

Pero llego tarde y no tengo tiempo para preocuparme por eso. Me guardo ese pensamiento para más tarde, ahora necesito tener la cabeza en la pista de baile y no en las nubes.

Abro la puerta y recorro el pequeño pasillo hasta llegar a una sala enorme. Hay una barra pegada en la pared de espejos del fondo y, junto a ella, aguarda una sucesión de chicos y chicas que practican con las cinco posiciones al ritmo de la música. Los observo un momento: todos parecen tener unos veinte años, excepto la chica del fondo.

Lleva el pelo oscuro recogido en un moño inmaculado encima de la cabeza y en este momento está bajando la mirada para flexionar las rodillas en un *demiplié*. Es muy elegante y es evidente que está en completa armonía.

—¿Blake Smith? —pregunta una voz a mi lado con un acento de Nueva York muy marcado.

Me vuelvo hacia la mujer de cabello castaño que me está mirando y asiento.

—Sí, señora. Soy yo.

Sonríe.

—Yo soy Bianca.

Nos damos la mano.

—Me alegro de conocerte.

—Igualmente. Llegas un poco tarde, pero supongo que esto es muy diferente de Londres.

Pienso en los veinte minutos que he tardado en conseguir un taxi.

—Sí, en eso tienes toda la razón. Lo siento, todavía estoy aprendiendo a moverme por la ciudad.

La risa de Bianca es amable.

—Sí, ya me imagino que debe de ser duro. Bueno, si tienes alguna pregunta no tengas ningún problema en recurrir a mí, haré lo posible por ayudarte. Si quieres dejar la bolsa en aquella esquina y empezar a calentar, comenzaremos enseguida.

Regresa en silencio hasta su sitio y yo vuelvo a mirar a la chica que hay al final de la barra.

Nos miramos a los ojos.

Ha estado a punto de perder el paso del calentamiento, pero enseguida sigue con lo que estaba haciendo, como si no nos estuviéramos mirando. Como si yo no estuviera intentando averiguar de qué color tiene los ojos. Están enmarcados por una hilera de largas y espesas pestañas que se curvan hacia arriba, y tiene las mejillas ligeramente sonrosadas. La miro de arriba abajo y no puedo evitar admirar la forma en que el maillot y las mallas se ciñen a su cuerpo. Ella parpadea cuando la vuelvo a mirar a los ojos.

Vaya. En Inglaterra no hay chicas así. Y si las hay, mi madre nunca me las presentó.

Se vuelve y mira al frente. Hay algo... Algo me dice que tengo que conocer a esta chica, y no es algo que sienta en la polla.

Caliento mientras escucho a medias lo que Bianca le va diciendo a la clase, la otra mitad de mi atención sigue presa de la chica de cabello marrón oscuro. Está un poco apartada del resto, se ha metido las manos en las mangas y tiene la cabeza ligeramente inclinada hacia delante y, aun así, su postura es perfecta. Tiene la espalda recta y los pies en posición.

Va adoptando las posiciones básicas muy despacio, y se mueve siguiendo las ordenes de Bianca con la elegancia de un cisne flotando por el río en primavera. Cada uno de sus movimientos es perfectamente preciso, tanto por la posición como por el ritmo. Sigue trabajando las posiciones en la barra, pasa del *plié* y el *tendu* a los *battements*; no es consciente de que no dejo de mirarla. No se da cuenta de que estoy pendiente de cada curva de su cuerpo y cada uno de sus estiramientos. Ignora que nunca me he sentido tan atraído por una chica que no sé ni cómo se llama.

Paso del calentamiento a los pasos básicos. Sé que Bianca intenta que cojamos ritmo porque la mitad de la clase es nueva. Nos observa detenidamente a todos, se detiene un segundo o dos sobre cada uno de nosotros para comprobar que la posición y la postura sean correctas, pero yo no estoy muy concentrado. En lo único que puedo pensar es en la chica que tengo delante, y me limito a mover el cuerpo con fluidez adoptando los pasos que la profesora va cantando.

Para mí bailar es algo tan natural como respirar. Siempre ha sido así.

Bianca nos pide que nos pongamos por parejas, chico y chica, y yo me acerco a la chica morena. ¿Cómo podría emparejarme con otra? Aunque parezca un cliché, ella es la única persona de la sala de la que soy completamente consciente.

Le toco el hombro.

—¿Quieres…?

Me encuentro con un par de ojos de color azul sorprendentemente claros. «Azul. Ese es el color: azul». Son de esa clase de azul que te paraliza y, automáticamente, te hace pensar en un día de verano, con su cerveza y su barbacoa. También es la clase de azul que lo refleja todo, el tono es demasiado pálido como para ocultar las sombras que asoman por debajo, y el destello de esa oscuridad me obliga a detenerme para mirarla.

No es la primera vez que veo esas sombras.

Sé lo persistentes que son y que apenas asoman a la superficie antes de tirar de ti hacia el fondo. Y también sé que la recuperación siempre es peor que la caída… Eso si tienes la suerte de conseguir salir.

—¿Que si quiero…? —pregunta con vergüenza llevándose la mano a la cara para después bajarla de nuevo.

—Ejem. —Carraspeo y me rasco la nuca. La sonrisa vacilante de sus labios me recuerda el motivo por el que me he acercado a ella—. ¿Quieres que bailemos juntos? Como tenemos que ponernos por parejas… Ya sabes. ¿Te parece bien?

Mierda. Parezco un adolescente incómodo que no tiene ni idea de cómo debe hablarle a una chica.

Ella sonríe y recorre la clase con la mirada. Todo el mundo está emparejado y hablando en voz baja.

—Yo... Claro —contesta.

—Genial. Me llamo Blake. Blake Smith.

—Abbi Jenkins.

Abbi acepta la mano que le he tendido. Le estrecho los dedos, pero no estoy pensando en la piel sedosa de sus dedos, sino en la delicadeza de su voz y en cómo ha movido los labios cuando ha dicho su nombre.

—Abbi —repito—. ¿Llevas mucho tiempo bailando?

—Desde que tenía ocho años. —Deja de darme la mano y entrelaza los dedos delante de la tripa de forma protectora—. Todos necesitamos una vía de escape, ¿verdad?

«Verdad».

—Exacto.

Tres palmadas secas cortan la conversación y nos volvemos hacia Bianca. Mientras la profesora nos explica lo que tenemos que hacer, yo observo el perfil de Abbi. Es delicada y bonita, desde la curva de su naricita de botón, hasta la evidente generosidad de sus labios. No me doy cuenta de que estoy sonriendo hasta que ella me vuelve a mirar a los ojos y alza una ceja inquisitiva. Yo encojo un hombro y ella hace una mueca con los labios.

—¿Empezamos?

—Eh, sí, claro. Empezamos... ¿el qué? «Mierda. Soy tonto».

Abbi sonríe.

—A bailar —contesta con un brillo en los ojos.

Claro. A bailar. Hemos venido para eso.

Mierda. Cruzo miles de kilómetros para perseguir mi sueño, ¿y qué hago ahora? Me distraigo mirando una cara bonita. Tengo que empezar a pensar con los pies y no con la polla.

Le ofrezco la mano por segunda vez desde que he entrado en esta clase y ella la acepta también por segunda vez. Se pone de puntillas sin aparente esfuerzo y cierra los ojos. Me vuelve a sorprender su facilidad de movimientos y me pongo en posición... con ella. Hasta que no bailas con alguien no puedes apreciar de verdad la belleza de sus pasos.

Y solo son unos segundos, un momento fugaz en el enorme esquema de las cosas, pero ver cómo Abbi Jenkins se entrega a la música es una auténtica belleza.

Es un momento que no olvidaré jamás.

Hasta que abre los ojos cuando empezamos a movernos y recuerdo que incluso las sombras pueden caer presas de la verdadera belleza.

Abbi parece que me mira, pero sé que en realidad no me está mirando. Hay un brillo en sus ojos que ilumina el tono azul de sus iris y el dolor que anida en ellos. Está en otra parte, en algún lugar muy lejano, pero no le fallan los pasos. No pierde el ritmo ni una sola vez, nunca se equivoca. Ni siquiera varía el ritmo de su respiración.

A pesar de los cambios de ritmo y de movimiento, combinados con los interminables comentarios e instrucciones de Bianca sobre la correcta colocación de los brazos y el ritmo, cuando nos movemos juntos se me acelera la sangre. Y estoy hipnotizado. Estoy hipnotizado por la fluidez de sus movimientos, por la soltura de nuestros movimientos. Es como si hubiéramos bailado juntos toda la vida.

La música deja de sonar y, cuando nos detenemos, Abbi cierra los ojos. Cuando los abre, vuelven a estar claros, y ella sonríe con timidez. Yo bajo los brazos, ella da un paso atrás y me roza los dedos con suavidad. Se vuelve a esconder las manos en las mangas y entrelaza los dedos delante de la tripa.

—Gracias —me dice mirándome a los ojos.

Yo esbozo una sonrisa de medio lado.

—¿Por qué?

—Por el baile.

Sonríe con la misma delicadeza con la que habla. La observo caminar mientras regresa a la barra. Contemplo las suaves pisadas de sus pies por el suelo, cómo balancea la cadera con cada paso que da...

—No —murmuro sin quitarle los ojos de encima—. Gracias a ti.

Abbi

—¿Café? —me pregunta mamá cuando ve el Starbucks que hay al final de la calle.

Pongo los ojos en blanco, pero ya debería haber imaginado que me lo acabaría preguntando. Estoy convencida de que por las venas le corre café en lugar de sangre.

—¿Cómo iba a negártelo?

La miro reprimiendo una sonrisa. Ella se ríe.

—Pues ya lo has intentado, cariño. ¡Ya lo creo!

—Pero solo porque papá me obligó a esconder todo el café. Me amenazó con no comprarme el descapotable de Barbie. Tenía ocho años. Necesitaba ese coche, mamá. —Me río—. Era una situación de vida o muerte, ¿sabes?

Ella niega con la cabeza, se ríe en silencio y coge el picaporte de la puerta del Starbucks.

—Lo que fue una situación de vida o muerte era que aquella mañana no encontrara el café, Abbi. ¿Quieres uno?

Miro el interior de la cafetería por la ventana y niego con la cabeza. Como es justo después de comer, la mayoría de las mesas están llenas, y después de tanta charla con la chica que me ha hecho la manicura y con la peluquera, necesito un poco de tranquilidad.

—No. Te espero aquí.

Le sonrío con incomodidad alternando la mirada entre su imagen y las ventanas. Mi madre me sigue la mirada y asiente con comprensión.

—Solo será un minuto.

Vacila y se muerde la esquina del labio antes de abrir la puerta para entrar.

Yo me siento en un banco de la acera de enfrente y suspiro. Me paso los dedos por el pelo suave y me doy cuenta de lo cansada que estoy. No puedo creer que haber ido a la peluquería y hacerme las uñas me haya dejado tan exhausta. Pero es lo que tiene la depresión. Nunca sabes cómo ni cuándo aparecerá y casi siempre te deja planchado.

Le da todo un sentido nuevo a la frase «siempre hay que esperar lo inesperado».

Me presiono los ojos con las palmas de las manos y reprimo un bostezo. Cuanto antes salga mamá con su café, mejor.

—No esperaba volver a verte tan pronto.

Llevaba un año sin oír aquella voz. Ya no recuerdo el tiempo en que quería volver a oír esa voz. Jake Johnson.

El mejor amigo de Pearce y la mitad de los motivos por los que Pearce acabó enganchándose a las drogas.

—No puedo decir que quisiera volver a verte —le contesto cruzando los tobillos y mirando fijamente hacia el Starbucks.

Es evidente que no esperaba volver a verme tan pronto. Por lo que él sabe —y también todos los demás—, yo sigo en San Morris. El manicomio. La casa de los locos. El sanatorio. Porque estoy loca.

Como si supieran algo de mí. La locura es la risa histérica que antecede a una buena pelea de almohadas. Y eso no tiene nada que ver con la depresión.

—¡Eh! —Jake suelta una risita ronca; lleva ocho años fumándose un cigarrillo detrás de otro, y eso tiene un precio—. No recordaba que fueras tan agresiva antes de volverte majara.

—Y no lo era —le digo con sinceridad. «Nadie puede mostrarse agresivo para defender algo que no respeta o por lo que no se preocupa»—. ¿No te importa que alguien te vea hablando conmigo? Quiero decir, ¿qué pasaría si alguien te viera hablando con la exnovia loca de Pearce? ¿No crees que eso podría hacer mella en tu imagen perfecta de chico malo?

Se vuelve a reír y el sonido repta por mi piel como una babosa. Intento reprimir un escalofrío, pero no lo consigo. Nunca me gustó Jake, y yo nunca le gusté a él; nos aguantábamos solo por Pearce. Antes hacía muchas cosas por Pearce, y él no valoraba ninguna de ellas.

—No te preocupes, Abbi. Es imposible que Pearce nos vea. No debe preocuparte la idea de volver a verlo.

—No me preocupa —le miento.

Se me seca la garganta solo con pensarlo. Trago saliva con fuerza. No quiero pensar en volver a verlo.

No sé si hay algo que me asuste más que eso.

Jake se ríe por tercera vez.

—Tardarás quince años en volver a verlo, chica.

Levanto la cabeza y lo miro por primera vez. Al verlo nadie diría que estaba tan enganchado a la heroína como Pearce. Nadie diría que vivía de eso, que era lo único que lo mantenía con vida. En realidad, cualquiera pasaría por su lado en la calle, vería su pelo engominado, su piel clara, su cuerpo musculoso, y ni siquiera se le pasaría por la cabeza.

Pero yo lo sé. Yo conozco al diablo que se oculta bajo esa superficie, y me he cruzado con él muchísimas veces.

—¿Qué?

—Quince años. —Jake se apoya en la pared con despreocupación, como si no estuviera hablando del chico con el que creció—. Perdió el trabajo como un mes después de que se te fuera la olla y no pudo seguir el ritmo. Le debía dinero a mucha gente, mucho más del que imaginas, Abbi. Y esas personas no habrían dudado en romperle el cuello, así que el muy capullo hizo un trato. Les dijo que les haría de camello y que se encargaría de entregar la mercancía. De esa forma los traficantes empezaron a vivir sin dar un palo al agua, y él se quitó de encima una gran parte de la deuda. Aunque devolvía menos de lo que debería, porque siempre se llevaba algo a casa cuando acababa la noche. De esa forma siempre ganaba.

—¿Y?

—Y se volvió descuidado. Demasiada seguridad. Una noche se emborrachó mientras trabajaba y lo cogió la poli. —Jake sonríe—. Todo el mundo sabe que si estás pasando mierda no te puedes emborrachar. No hay que llamar mucho la atención, ¿sabes? En fin, cuando lo trincaron iba bien cargado y llevaba un par de miles de dólares en el bolsillo de atrás. Se lo llevaron a la comisaría y lo acusaron de posesión y tráfico de drogas. Su juicio se celebró el mes pasado. Al muy capullo le cayeron quince años por un error de novato.

No puedo ignorar que una parte de mí se ha relajado. No puedo luchar contra el alivio que siento.

Ya no tengo que ver a Pearce. Quizá no lo vuelva a ver nunca más.

—Bueno. —Vuelvo a mirar hacia la puerta del Starbucks justo cuando sale mi madre con el café en la mano y me levanto—. No merece menos.

Me marcho sin decir nada más. No necesito hacerlo.

Mis acciones hablan mucho más alto que mis palabras.

Pegué los ojos al suelo y me pregunté por qué no escuché la voz que me gritaba que abriera la puerta y saliera corriendo de allí. Me pregunté por qué volvía a estar allí otra vez mientras él se destruía.

Me estremecía con cada sonido que hacía mientras preparaba la droga y se la metía. Yo no quería saber cómo lo hacía. Esperaba a oír el inevitable suspiro de felicidad que soltaba cuando la droga se extendía por su cuerpo.

Y aun así, seguía mirando fijamente al suelo. Como si al no verlo pudiera fingir que aquello no estaba ocurriendo. Como si no mirar significara que yo no estaba allí permitiendo que lo hiciera.

Pero sí sabía por qué estaba allí: miedo. Por el miedo a la ira que podía brotar de él en cualquier minuto, incluso mientras disfrutaba del chute. Miedo de tener que explicar otro moretón o alguna nueva señal.

Oí el suspiro.

Levanté la vista.

Miré hacia arriba, pero no me fijé en nada que tuviera que ver con la droga. Él esbozó una suave sonrisa. Una sonrisa de satisfacción. Apreté el puño y me clavé las uñas en la palma de la mano, pero me tragué las ganas de hablar. Ya hacía mucho tiempo que había aprendido a no decir ni una sola palabra cuando él disfrutaba de esa sensación. No hables. No te muevas. No hagas ni un maldito sonido.

Di un paso atrás y rompí la segunda regla de oro. Por suerte, la gruesa alfombra se tragó el ruido de los pasos que di hasta la pared. Alargué el brazo hacia atrás sin volver la cabeza.

Y choqué contra una cómoda.

Me quedé helada y lo miré automáticamente. Él levantó la cabeza, me miró desde el otro lado de la habitación con aquellos ojos de color azul verdoso tan fríos y duros como el hielo. Yo inspiré hondo mientras él me fulminaba y, aunque bajé la mirada y cerré los ojos, seguía sintiendo cómo me atravesaba con la mirada.

La cama crujió cuando se levantó y yo me mordí el labio inferior. El silencio de los pasos que dio al acercarse era más aterrador que el sonido. No podía verlo. No podía escucharlo. No tuve ni idea de lo cerca que estaba hasta que me cogió de la barbilla.

Pearce me pasó el pulgar por la mandíbula en un gesto casi cariñoso antes de apretar y levantarme la cabeza para obligarme a mirarlo a los ojos.

—¿Qué te tengo dicho, Abbi?

Cuando me despierto el agua de la bañera me salpica por culpa del sobresalto. Me agarro a los laterales de la bañera con tanta fuerza que se me ponen los nudillos blancos e intento relajar el ritmo de mi respiración. Paseo la mirada nerviosa por todo el baño mientras intento tranquilizarme.

Estoy en casa. En el baño. No estoy en una fiesta. No estoy con Pearce.

Estoy a salvo.

—Estoy a salvo —susurro—. Estoy a salvo. Estoy a salvo. Estoy. A. Salvo.

Sigo susurrando esas palabras, una y otra vez, una y otra vez. Me lo repito con insistencia mientras me esfuerzo por olvidar ese recuerdo. No necesito superarlo, recuerdo muy bien lo que pasó. Me acuerdo del moretón que me salió en el lateral de la cabeza después de impactar contra la cómoda por culpa del empujón, y recuerdo haber «resbalado con una placa de hielo de vuelta a casa».

Me suelto de los bordes de la bañera y me paso las manos por la cara. El agua está helada. Echo un vistazo rápido al reloj de la pared y me doy cuenta de que llevo en la bañera más tiempo del que pensaba. Mucho, muchísimo más. Salgo y me envuelvo el cuerpo y el pelo con un par de toallas, me tiemblan las manos. La adrenalina sigue corriendo por mis venas a causa de ese recuerdo, ruge por mi cuerpo, y me dan ganas de olvidar.

Miro el armario del baño, pero sé que no sirve de nada. Ya sé que en esta casa todo lo que sea susceptible de lastimarme está cuidadosamente escondido. No hay cuchillas ni tijeras, y han cambiado el espejo roto del baño, por si acaso se me ocurre cortarme el dedo. Hasta hay una cerradura en el cajón de los cuchillos de la cocina: ese es el nivel de confianza que me tienen mis padres.

Pero, por algún motivo, yo también me siento más segura así. Saber que aquí no puedo conseguir nada con lo que poder autolesionarme, casi me hace sentir un poco más fuerte, porque así tengo que seguir adelante. Y ahora tengo que vivir con el recuerdo, porque mi forma de escapar ya no es una opción. Ya no puedo utilizar el dolor para escapar ni perderme viendo como mi sangre se derrama por el desagüe,

Tengo que sentir. Tengo que recordar. Tengo que vivir.

Y, sin embargo, no puedo evitar clavarme las uñas en las palmas de las manos. Y solo eso, esa pequeña punzada de dolor, basta para llevarse el pasado. Me aclara las ideas, lo justo para que me dé cuenta de que hoy todavía no he bailado.

Lo bastante como para que me dé cuenta de que necesito bailar.

Me pongo unos pantalones de hacer yoga y un top, me hago un moño y cojo las zapatillas de baile. Oigo el ruido de la televisión cuando paso por el salón, y abro la puerta de la cocina en dirección al garaje.

Cuando supimos que me iban a dar el alta en San Morris, papá convirtió la mitad del garaje doble en una pequeña sala de baile. Hay espejos en la pared y una barandilla de latón que hace las veces de barra. La primera vez que me lo enseñó, me reí de él, pero la verdad es que funciona sorprendentemente bien.

Cojo el frío metal con la mano, me coloco en posición y no puedo evitar pensar en la última vez que bailé... con Blake.

Cuando Bianca nos pidió que nos pusiéramos por parejas, yo estuve a punto de salir corriendo. O gritarle por no haberme avisado, ni a mí ni a nadie. Ahora sé que lo hizo a propósito. A fin de cuentas, en Juilliard tendré que bailar con alguien, así que es mejor que me vaya acostumbrando. Y la cosa resultó mucho más fácil de lo que pensaba.

Cuando bailamos juntos, solo sentí libertad. Me sentía como si pudiera dar cualquier paso, con cualquier música y en cualquier escenario del mundo; y estaba convencida de que lo haría bien.

El arte del *ballet* es como una película. Si no hay química entre los protagonistas, la cosa no funciona. Si dos bailarines no tienen química, si no encajan, el baile no sale bien.

He bailado con más parejas de las que puedo contar, tanto hombres como mujeres, y nunca he conectado con nadie como lo hice con Blake. Nunca me había sentido tan cómoda en los brazos de nadie, y estoy segura de que nunca había confiado tanto en una pareja. Y tampoco me había sentido tan atraída por ninguna pareja como me ocurrió con él.

Y eso me asusta.

El día que salí de San Morris por última vez, construí muros de trescientos metros alrededor de toda mi persona. Los coroné con alambradas y puse unos cuantos lobos a vigilar cualquier grieta que quedara. Estaba —y estoy— decidida a no sentir. Estoy decidida a no dejar que se cuele nadie. Por lo menos hasta que sepa que seré capaz de seguir adelante.

El baile es lo único que me ayuda a seguir. Es lo único que me permito sentir; es lo único que es verdaderamente real para mí. Es lo único que permito que esquive esos lobos y trepe por los muros. Ayer, Blake y el baile eran sinónimos. Eran solo uno.

Y allá donde llegaba el baile, llegaba él también.

Bajo los pies —ya no estoy de puntillas—, y suelto el aire. En vez de estar en la barra estoy en medio del garaje. He bailado sin darme cuenta. Estaba perdida en mi cabeza y podría haber bailado lo que fuera, cualquier paso, cualquier posición, y no lo sabría.

Pero he conseguido lo más importante.

He vencido el impulso de hacerme daño.

Y he bailado.

Blake

—*M*aldita sea —murmuro al cerrar la puerta del apartamento—. Este repartidor no tiene modales.

Dejo los recipientes de cartón sobre la mesita de la cocina y cojo un plato del armario. Mi uniforme de cocinero está tirado en el suelo, justo delante de la lavadora, y cuando paso por delante le doy una patada.

Soy cocinero y pido comida a domicilio para cenar. Pero la verdad es que cualquiera que se pase diez horas cocinando en un recinto abrasador, lo último que quiere es seguir cocinando cuando llega a casa.

Me sirvo la comida en el plato y voy hasta el salón. Me siento en el sofá, levanto las piernas y enciendo la televisión. Justo cuando estoy a punto de ponerme cómodo, suena el teléfono.

—Aargh —rujo echando la cabeza hacia atrás—. ¡Dios!

Dejo el plato humeante en la mesita, cojo el teléfono y vuelvo a rugir cuando leo el nombre de mi hermano en la pantalla.

—Jase —contesto.

Mi hermano preferido. En realidad, es mi único hermano varón, las demás son chicas.

—Mamá se estaba preguntando si estarías muerto. No la has llamado.

—¿Y le ha pedido a mi hermanito —a duras penas

mayor de edad— que me llame para asegurarse de que su hijo mayor sigue vivo? —Resoplo—. Ahórrame las lágrimas, Jase.

Suspira.

—Tiene una entrega y...

—Y apenas tiene tiempo para acabar los diseños de sus fantásticos zapatos. Sí, sí. Ya me sé esa historia.

—Exacto. —Guarda silencio un momento y se oye un crujido en la línea—. Bueno. Me parece que te echa de menos.

Vuelvo a resoplar. Eso sí que es increíble.

—Soy su mayor decepción, hermano. Se suponía que yo debía seguir los pasos de papá y tomar las riendas de la empresa, pero —como ella dice—, preferí ponerme a cocinar cenas glamurosas. Luego me vine a Nueva York para hacer lo que Tori y yo siempre nos prometimos que haríamos, y ella lo odia.

Jase no contesta, y aunque es mucho más pequeño que yo, sé que se acuerda de ella. Es imposible que no se acuerde. Y, como siempre, la mera mención de su nombre, deja muda a toda la familia. Como si olvidaran, como si yo fuera el único que recordara cómo le brillaban los ojos cuando se reía y cómo se echaba el pelo hacia atrás cuando se hacía la niña buena. Y cómo la quería todo el mundo, porque era la clase de persona que se hacía querer.

—A ella no le gusta recordar. Le hace daño, Blake.

Esa excusa es muy pobre, y él lo sabe. A mí tampoco me gusta recordar y también me duele, pero lo hago de todas formas.

—Está muerta, Jase. Y existía, por mucho que nuestros padres se esfuercen en creer que no es así. Tori era real y fingir que no lo era y que nunca murió no mejorará las cosas.

—Lo que pasa es que a mamá le duele que te hayas marchado, y el hecho de que te hayas ido para hacer lo que quería hacer Tori, es como si alguien le echara un puñado de sal en la herida.

—Juilliard no era, no es —me corrijo—, solo un sueño de Tori. Nunca fue así. Siempre compartimos ese sueño, y tú lo sabes.

—¿Y qué hay de malo con la escuela de baile que hay aquí? ¡Podrías haber entrado en cualquier escuela de Londres!

Trago saliva al recordar el verdadero motivo por el que estoy aquí. La conversación que tuve con doce años y nunca comprendí.

—¿Blake?

Tori había llamado con suavidad a la puerta de mi habitación y la abrió un poco.

—¿Sí?

Yo levanté la vista de mis deberes de ciencias y me encontré con los enormes ojos verdes de mi hermana mayor. Teníamos los mismos ojos, éramos los únicos de los seis que habíamos sacado los ojos verdes de mamá. Jase, Laura, Allie y Kiera tenían los ojos azules de papá.

—¿Puedo pasar?

Le miré los pies, que ya estaban dentro de mi habitación, y me reí.

—Ya estás dentro.

Ella miró hacia abajo, se encogió de hombros y se rio conmigo.

—Supongo que sí.

Cruzó la habitación con la elegancia de la bailarina que era y se subió a mi cama. Mis deberes se esparcieron por la cama y algunas hojas de papel se cayeron al suelo, yo le lancé el lápiz a mi hermana.

—¡Cuidado, Tori!

—¡Lo siento!

El tono divertido de su voz dejaba entrever que no lo

sentía en absoluto. Me pasé un minuto fulminándola
con la mirada, pero acabé sonriendo. Era incapaz de en-
fadarme con ella. Era mi hermana y mi mejor amiga, los
dos éramos las ovejas negras de la familia perfecta.

—Tengo que preguntarte una cosa.

Había adoptado un tono vacilante y más serio que
antes. Me quedé expectante, dejé de recoger los papeles
del suelo y la miré.

—¿Qué pasa?

—¿Hablabas en serio cuando dijiste que querías ir a
Juilliard? ¿A bailar?

—Pues claro que sí. ¿Por qué? ¿Pensabas que no hablaba en serio?

—Tenía dudas. —Se mordió el labio—. Me preguntaba si solo lo decías por mí.

—No, Tori. Quiero ir a Juilliard. Nos vamos a comer
el mundo, ¿te acuerdas?

Le sonrío y ella me devuelve la sonrisa con cierta
tristeza.

—Claro. El mundo. —Hace una pausa—. Quiero que
me prometas una cosa.

—Lo que sea.

Tori se bajó de la cama y se arrodilló delante de mí.
Me cogió de las mejillas y me levantó la cabeza.

—Blake, prométeme que irás a Juilliard pase lo que
pase. Que te irás a Nueva York y harás realidad nuestro
sueño.

—¿Qué?

—Prométemelo. Pase lo que pase.

Me la quedé mirando sin entender por qué me estaba
diciendo aquello. Pero se lo prometí. Siempre lo hacía.
Le habría prometido cualquier cosa a Tori.

—Te lo prometo. Pase lo que pase.

Me acarició las mejillas con los pulgares y me dio un
beso en la frente antes de levantarse. Luego se dio media vuelta y se marchó, pero se detuvo un segundo en la

puerta de mi habitación. Volvió un poco la cabeza y me miró con los ojos brillantes y húmedos.

—Gracias.

Trago saliva y me enjugo las lágrimas.

—Dos días antes de que muriera le prometí que vendría a Nueva York y entraría en Juilliard. Le prometí que lo haría pasara lo que pasara, Jase.

Y ya me queda poco, me recuerdo. Ya me queda poco.

—Claro. Oye, tengo que colgar —dice con la voz un poco tomada—. Voy a salir. Adiós.

La llamada se corta y yo peleo contra las ganas que tengo de tirar el teléfono contra la pared. La misma reacción de siempre, cada vez que alguien menciona su nombre. Nadie quiere hablar sobre ella, sobre la mancha en el nombre de la familia, sobre ese pequeño y sucio secreto de la familia.

Nadie quiere recordarla. Si mis padres pudieran, la borrarían de todas las fotografías familiares, nuestra casa tendría una habitación menos y mi madre tendría unas cuantas estrías menos. Si fuera por mis padres, mi hermana mayor no habría existido nunca. Habrían tenido cinco hijos y Kiera sería la mayor. Como ahora.

Miro mi cena, que sigue humeando un poco, y tiro el teléfono en el sofá en lugar de estamparlo contra la pared. Vuelvo a mirar el plato, niego con la cabeza y entro en el viejo baño del apartamento.

Puede que mi familia quiera fingir que Tori no existió, pero ellos no pasaron con ella hasta el último segundo. Ellos no conocían todas sus aspiraciones y sus sueños.

Y no fueron ellos quienes encontraron su cuerpo.

Pueden esforzarse todo lo que quieran para olvidar, pero esa es una imagen que yo jamás podré borrar de mi cabeza. Ese recuerdo me perseguirá toda la vida.

Abbi

Se oye de fondo el tictac del reloj. Cada vez que la aguja se mueve estoy un segundo más cerca de salir del despacho de la doctora Hausen y entrar en la clase de Bianca. Cada vez que se mueve la aguja, estoy más cerca de mi verdadera terapia.

Mi psiquiatra va presionando el botón que acciona la punta del bolígrafo al ritmo del reloj. Yo balanceo el pie mientras miro fijamente la pared.

—Me gusta tu pelo —me dice.

Me toco la trenza que me cuelga del hombro.

—Gracias.

—Es un gran cambio.

—Sí.

—¿Crees que es un cambio positivo?

Suspiro y la miro. Lleva el pelo gris recogido hacia atrás con un clip y se ha puesto las gafas encima de la cabeza. Deja de apretar el botón del bolígrafo y empieza a utilizarlo para dar golpecitos sobre el papel. Ya conozco esta técnica, pero sigo cayendo. Siempre.

Odio el clic del bolígrafo, los golpecitos o cualquier variación de un sonido repetitivo. Ella sabe que si sigue dando golpecitos durante el tiempo suficiente, le contestaré solo para conseguir que deje de hacerlo.

—Sí —espeto. Los golpecitos cesan—. ¿Sabes? Eso es jugar sucio.

La doctora Hausen sonríe y le aparecen arrugas alrededor de los ojos.

—Pero funciona. —Suelta una pequeña carcajada—. Cuéntame qué te empujó a hacerlo.

—¿Lo que me ha empujado a contestar? Los ruiditos que estabas haciendo con el bolígrafo.

—Abbi.

Intenta ponerse seria, pero todavía sonríe y eso la delata.

Me encojo de hombros.

—Tenía que intentarlo.

—¿Por qué te has teñido el pelo?

—La antigua Abbi era rubia. Yo ya no soy esa persona —digo en voz baja.

—Entonces es el mismo motivo por el que cambiaste la decoración de tu habitación antes de volver a casa.

Es una afirmación, no una pregunta.

—Ajá.

—¿Y a qué crees que se debe?

«Porque odio a la antigua Abbi». No soporto que nunca se defendiera. Odio que dejara que Pearce la pisoteara, abusara de ella, la corrompiera. Odio que se convirtiera en una sombra de la persona que era en realidad. Odio que dejara que él le arruinara la vida.

—Porque quería separar el pasado del presente —digo mintiendo a medias mientras me rasco detrás de la oreja.

—¿Y el resto?

—¿Qué resto?

—Te estás rascando detrás de la oreja. —La doctora Hausen hace un gesto con los labios mientras se recuesta en el respaldo de la silla—. Abbi, soy tu psiquiatra desde hace un año, y ya conozco tu gestualidad. Siempre que me ocultas algo te rascas detrás de la oreja. Normalmente dejo que te lo guardes para ti, pero esta vez quiero saberlo. Quiero que me expliques todo el motivo.

Me levanto del sillón mullido al que estoy tan acostumbrada y me acerco al ventanal. Su despacho tiene vistas a los jardines de San Morris, y desde allí puedo ver los manzanos rebosantes de diminutas manzanas.

—No sé a qué te refieres.

Me cruzo de brazos para evitar rascarme la oreja. Maldita sea. Tendré que recordarlo.

—Pues deja de cruzar los brazos y siéntate.

Trago saliva mientras cuento en silencio las manzanas que veo en el árbol.

—Yo… No quería parecerme a la persona que era. Lo que ocurrió… lo que él me hizo, lo que me hice yo, todo eso me cambió. No me gusta la persona que era. No quiero que nada me recuerde a ella, así que lo cambié. Avancé. Seguí adelante. Ya sabes. ¿No es ese el motivo por el que me dieron el alta? ¿Para que pudiera avanzar y olvidarme de todo?

—Olvidar no conlleva nada bueno. Lo que debes hacer es recordar, por mucho que te duela. Necesitas coger todos esos recuerdos, por dolorosos que sean, y sacarlos. Incluso aunque eso signifique recordar cada vez que él te lastimó y las veces que fuiste tú la que se hizo daño, debes recordar. El olvido no es la llave para seguir adelante. Pero recordar sí, porque solo podemos olvidar después de recordar.

—Eso no tiene sentido.

—No puedes olvidar lo que no conoces, Abbi. No puedes olvidar lo que no te has permitido saber. Lo único que conseguirás reprimiendo esos recuerdos es quedarte atrapada en un limbo sobre el que no tendrás ningún control.

La miro por encima del hombro.

—Tengo control. Llevo meses sin hacerme ningún corte. He tenido ganas de hacerlo, pero no lo he hecho. Tengo control.

Vuelvo a mirar por la ventana, me tiemblan mucho

las manos. Parpadeo para no derramar las lágrimas que se me acumulan en los ojos. Me siento como un niño pequeño frustrado porque no es capaz de encontrar las palabras para hacerse entender.

Oigo el ruido que hace la doctora Hausen al dejar los papeles sobre la mesa y el tintineo de sus tacones sobre el suelo de madera.

—Abbi —dice con suavidad posándome la mano en el hombro—. Ya sé que tienes control. Ese es el motivo por el que te dimos el alta. Hay muchas personas que entran aquí y no se marchan jamás; por algún motivo hay personas que no tienen la fuerza necesaria para ahuyentar la oscuridad. Hay gente que no mejora nunca, jamás llegan a enfrentarse a sus demonios.

»Pero ¿tú? Lo que tú has vivido es terrible. Desagradable. Desearía que no hubieras tenido que pasar por lo que pasaste, pero sé que no eres una de esas personas. Yo sé que tienes la fuerza necesaria para luchar contra esa oscuridad. Eres lo bastante fuerte como para recordar todo por lo que pasaste y, aun así, seguir aferrándote a esa luz.

»Sí, podría haberte dejado aquí. Podría haberte dejado en tu insulsa habitación blanca, podría haber mantenido esos horarios de comidas tan estrictos, tus actividades de grupo, tus sesiones de terapia diarias. Pero ¿para qué? Eso no te estaba ayudando. Ni siquiera yo soy infalible, Abbi. No me di cuenta de lo que necesitabas hasta que me dijiste que querías bailar, y no me di cuenta de lo fuerte que era ese deseo hasta que te vi bailar en el gimnasio por primera vez. Por eso te dejé marchar.

—Pero ¿por qué? A Bianca no le importaba venir aquí. ¿Por qué no me dejaste seguir aquí, donde pudieras tenerme vigilada? Tú sabes que siguen dándome ganas de cortarme cuando las cosas se ponen difíciles. Tú sabes lo duro que es para mí.

Me resbalan las lágrimas por las mejillas y la doctora Hausen me vuelve hacia ella con delicadeza.

—Porque, Abbi, tú tienes algo que la mayoría de los otros no tiene.

—¿El qué?

Se agacha un poco hasta que estamos cara a cara.

—Un sueño. Tú tienes un motivo por el que vivir, algo por lo que no podrías vivir estando encerrada aquí.

—¿Y por qué supone una diferencia tan importante?

—Porque uno no puede vivir realmente por algo hasta que no se ha enfrentado cara a cara con la muerte. Tú has estado cerca de la muerte, la has rozado con los dedos, pero puedes seguir aferrándote a la vida gracias a tu sueño. No se puede apreciar verdaderamente lo que se tiene hasta que no se está a punto de perderlo. Esa es realmente la diferencia.

El silencio de la clase me arropa y me envuelve como una manta de seguridad. Aquí me siento como en casa, estirando con el pie sobre la barra y la cabeza pegada a la rodilla.

La clase está vacía porque he llegado media hora antes, antes de los diez minutos de adelanto que nos pide Bianca. Después de la terapia con la doctora Hausen, necesito soltar un poco de tensión antes de que empiece la clase. Su despacho es tan pequeño y tan agobiante, que necesito sentirme libre. Aunque solo sea por un momento.

Me recojo la trenza en un moño y empiezo a bailar.

Salto, hago piruetas y giro por el suelo de la clase, me pongo de puntillas y vuelvo a bajar. Me dejo llevar por la pieza y pongo los dedos de mis pies al límite, se me tensan los músculos de la pierna y arqueo la espalda al detenerme dos segundos. Luego vuelvo a empezar. Vuelo de nuevo por la clase y, mientras bailo, la pesadez de la charla que he mantenido con la doctora Hausen va aminorando tras cada paso, tras cada *plié*, tras cada giro.

Y entonces, durante un maravilloso segundo, no siento nada. Lo único que siento es la música. Y en ese segundo, encuentro un pequeño trozo de mi propia esencia.

Encuentro una parte minúscula de esas agallas que la doctora Hausen me ha dicho que tengo. Y me aferro a ellas con todas mis fuerzas antes de volver a sentir esa pesadez que tira de mí hacia abajo.

—¡Hala!

Me sobresalto y casi se me sale el corazón por la boca. Consigo evitar la caída agarrándome a la barra y miro hacia el piano. Blake está de pie junto al piano negro de cola, con la bolsa a los pies, y me clava sus ojos rebosantes de asombro.

Yo me revuelvo incómoda.

—¿Hala, qué?

—Sí. Se te da muy bien bailar, ¿verdad?

—¿Ah, sí? Pensaba que acababa de pasar por debajo de un andamio lleno de albañiles groseros.

Ladeo un poco la cabeza y reprimo una sonrisa.

—Sí, ha sonado un poco mal. —Se ríe de sí mismo, coge la bolsa y se sienta en una esquina—. Es evidente que se te da bien bailar, por eso estás aquí, y yo ya he bailado contigo y ya sé que sabes bailar, pero sí. Será mejor que me calle porque estoy cavando mi propia tumba.

Me tapo la boca y me río.

—Bueno, me alegro de que lo hayamos aclarado.

Me mira con sus sorprendentes ojos verdes y sonríe.

—Muy bien, no solo eres una bailarina preciosa, sino que además también eres lista. Estoy convencido de que esa es mi receta de la chica perfecta. Esto podría ser cosa del destino, ¿sabes?

Noto que me sonrojo y cojo la botella de agua.

—Si eso lo tenías preparado, ha quedado fatal.

—¿En serio?

—En serio, fatal —le aclaro.

—Pero tenía que intentarlo, ¿no?

Me siento en el banco y lo miro sonriendo.

—Claro.

—Entonces ha valido la pena que me haya puesto en ridículo. —Me sonríe—. Pero lo decía en serio.

—¿El qué, eso del destino?

—Si contesto «tal vez», ¿funcionaría esta vez? —pregunta esperanzado.

—No.

—Mierda. —Blake guarda silencio y yo alzo una ceja—. En ese caso, lo que iba en serio era lo de que eres una bailarina preciosa. No sé qué será, pero cuando bailas es como si te fueras a otra parte. Me di cuenta el otro día cuando bailamos juntos. Era como si no estuvieras aquí.

Es absurdo, pero me echo el pelo hacia atrás mientras miro hacia la puerta abierta y veo cómo van entrando el resto de los alumnos.

—Y no estaba aquí —admito—. Todos tenemos derecho a perdernos un poco de vez en cuando, porque la vida es una mierda. Y aquí es donde me alejo de toda esa porquería.

—Exacto —dice en voz baja—. Ya te entiendo. Supongo que a mí me pasa lo mismo. Es una lástima que tengamos que volver.

—Sí.

Me vuelvo hacia él y nos miramos a los ojos. Algo brilla en los suyos, pero no consigo discernir lo que es. Parece comprensión. Algo que nos conecta a un nivel en el que nunca he conectado con nadie. Un segundo después, aparto la mirada y me levanto.

El resto de los alumnos empieza a parlotear a nuestro alrededor y yo me acerco a la barra. El metal frío me estabiliza, como siempre, y me aferro a él como si fuera lo único que me mantiene en pie.

—Creo que te debo una disculpa por la tontería que he dicho cuando he entrado y las que he seguido diciendo después —dice Blake en voz baja detrás de mí.

—Bueno, tú mismo has dicho que valía la pena intentarlo, ¿verdad?

Agacho un poco la cabeza y me obligo a reprimir una sonrisa.

—Pues sí. Pero eso no significa que no deba disculparme. Tengo veintiún años, creo que debería ser capaz de hablar con una chica sin parecer un completo gilipollas.

Levanto la cabeza y lo miro.

—¿Gilipollas? ¿Qué significa eso?

Él ruge y deja caer la cabeza hacia atrás un momento.

—Condenados yanquis.

—Malditos ingleses —le contesto divertida.

—*Touché*. —Se ríe—. Un gilipollas es... Bueno, es un maldito idiota.

Esbozo una sonrisa vacilante cuando me mira a los ojos.

—En ese caso, déjame decirte que has actuado como un completo gilipollas.

Blake sonríe justo cuando Bianca entra en la clase y da dos palmadas. Me guiña el ojo y yo miro al frente.

Cuando el tío de Bianca empieza a tocar la música para que practiquemos el *plié*, noto los ojos de Blake pegados a mi espalda. Siento cómo observa todos mis movimientos, como si estuviera memorizando cada centímetro de mi cuerpo, estudiando las formas que adoptan mis extremidades. Su mirada es caliente, me quema la piel y me hace respirar hondo. Me resulta casi imposible seguir mirando al frente y concentrarme cuando una parte de mí solo quiere darse la vuelta para encontrarse con su penetrante mirada. Es emocionante y desconcertante al mismo tiempo, pero no puedo hacer nada. Estoy aquí para bailar, y no para jugar a las miraditas con Blake, el Guapísimo Chico Británico. Tengo que apretar los dientes y superarlo.

Además, si fuera él quien estuviera delante de mí, no puedo negar que seguramente yo estaría haciendo lo mismo.

Puede que no quiera sentir. Quizá me haya construido unos muros de contención que se pueden comparar a los de cualquier cárcel, pero sigo siendo humana. Y eso significa que todavía me doy cuenta cuando un chico está bueno y de que me sube la temperatura.

De hecho, si tengo que ser sincera, Blake es lo que más me ha subido la temperatura desde que mi tía puso medio paquete de chili en su carne con chili.

Blake

—¡*El risotto* picante con gambas, Blake! ¡Necesito el maldito *risotto*! —grita Joe desde el otro lado de la bulliciosa cocina.

Las puertas no dejan de abrirse y cerrarse y el ruido de las cacerolas y las sartenes es continuo, es un milagro que pueda oírlo.

—Oído. *Risotto*. —Abro la pesada puerta del frigorífico y entro en la cámara. Hay un montón de estantes llenos de comidas precocinadas y miro de un lado a otro reprimiendo un rugido—. *Risotto. Risotto*. ¿Dónde está el maldito *risotto*?

—¿Dónde está el maldito *risotto*? —grita Joe acentuando las palabras con golpes de sartén.

«Buena pregunta».

—¡No está listo, chef!

—¡Pues mueve tu culo rápido y prepáramelo volando! Necesito que esté listo dentro de una hora para la fiesta, son clientes fijos del viernes por la noche y siempre piden eso. —Las puertas se abren de golpe—. ¡Por el amor de Dios, Jackie! ¿Cuántos pedidos vas a clavar en mi corcho?

—¡Todos los que me hagan!

—¡Hay una espera de cuarenta y cinco minutos!

—Pero…

—¡Sal de la cocina antes de que te tire el salmón, Jackie! —le grita Matt, un chef en prácticas recién salido del instituto.

Cuando sale, la puerta se vuelve a cerrar. Yo cojo las gambas de la nevera y dejo la bolsa debajo del grifo de agua para que se descongelen mientras voy a por el resto de ingredientes como si tuviera un cohete metido en el culo. Aquí hay más trabajo que en cualquiera de los restaurantes en los que había trabajado cuando estaba en Londres, pero supongo que me lo tengo merecido por haber aceptado un trabajo en uno de los restaurantes más conocidos del centro de Brooklyn. Ya sé que Brooklyn no es Manhattan, pero está lo bastante cerca y es lo bastante grande como para estar hasta los topes.

Troceo las zanahorias, corto las aceitunas en rodajas y pico en trocitos muy pequeños una cebolla y un chili rojo. La cebolla y el arroz se cocinan en una sartén enorme y la mezcla va cogiendo un color dorado, entonces le añado un poco de vino blanco y remuevo bien hasta que se consume. A continuación le añado el caldo de pollo y espero hasta que el arroz lo absorba todo. Entonces le añado el resto de ingredientes, incluyendo algunos piñones, y lo remuevo bien. Un toque de pimienta negra, unos cuantos minutos más, y ya está listo.

El olor especiado del chili se me cuela por la nariz y oigo cómo me ruge el estómago. Maldición. Lo peor de trabajar en la mejor marisquería a este lado de Brooklyn Bridge es que quiero comer. Hay un límite de comidas basura que uno puede ingerir antes de empezar a añorar la buena comida.

Y Dios sabe que yo siempre he comido bien. Mis padres siempre tuvieron muy buenos trabajos, y siempre arrastraban a sus hijos a actos, cenas y carísimas veladas benéficas en las que, probablemente, la gente gastaba más de lo que recaudaban los organizadores. Y, por supuesto, también asistíamos a las cenas con sus socios, que siempre parecían tener hijos e hijas guapos y bien educados que nos lanzaban a Kiera y a mí. Por un momento siento una punzada de remordimiento por haberla dejado sola en esa situación, y ahora Allie también tendrá que sufrirlo. Aunque Allie es una copia idéntica de mi madre, y estará encantada de casarse con un hombre rico que dicte su estilo de vida mientras ella dibuja vestidos bonitos o lo que sea.

—¿Cómo va ese maldito *risotto*? —aúlla Joe.

Me olvido de los recuerdos de mi vida en Londres y coloco el *risotto* en una enorme bandeja de cristal para poder taparlo y meterlo en la nevera después de emplatar. Paseo la bandeja por entre el ajetreo de la cocina y la dejo delante de Joe.

—Por lo menos huele a *risotto* —murmura cogiendo una cuchara.

Sirve un poco en un cuenco y lo prueba, todavía no confía en mi habilidad para cocinar. Lo lleva escrito en la cara y me lo confirma la expresión de sorpresa que tiene en este momento.

—Vaya, chico. —Asiente—. Está muy bueno. Emplátalo y dile a Jackie que lo saque de una vez.

Suelto el aire que no había advertido que estaba conteniendo y cojo algunos platos limpios de la estantería que tengo detrás.

Puede que ahora deje de dudar de mí.

Presiono el botón para avisar a los camareros de que hay comida esperando y me llevo el plato de *risotto* al fondo.

—Te puedes marchar cuando salga el *risotto*, Blake —me dice Joe—. Está todo bajo control y ya ha pasado media hora de tu turno. Has hecho un buen trabajo esta noche, chico.

Cierro la puerta del frigorífico.

—Gracias, chef. Nos vemos el lunes.

—Hasta el lunes. ¡Maldita sea, Matt! ¡Lo que tienes en la sartén está hirviendo!

Me escabullo a toda prisa de la cocina y cojo el abrigo

antes de que decida que prefiere mandar a Matt a casa en lugar de a mí. Luego salgo del restaurante Double Bass. Los viernes por la noche el centro de Brooklyn está abarrotado, no tanto como imagino que estará la otra orilla del East River, pero lo bastante como para que el paseo de diez minutos que tengo hasta mi apartamento sea bastante entretenido.

Justo cuando pienso en eso, un grupo de tres chicas dobla la esquina delante de mí. Una de ellas tropieza cuando pasa por mi lado y yo la agarro del brazo para que no se caiga.

—¡Oh! Perdona.

Se ríe y se tapa la boca.

—No pasa nada.

Le sonrío y bajo la mano.

Una de sus amigas jadea.

—¡Es inglés!

Oh, Dios. Debería haberme limitado a sonreír y seguir caminando.

La chica que ha tropezado a mi lado se detiene.

—¿Eres un inglés auténtico con un buen acento o eres de esos tan molestos?

—Yo... debería ir tirando.

Doy un paso atrás y la chica se vuelve a reír.

—¡Oh, es de los auténticos! —Esboza una sonrisa cegadora y se lleva la mano a la cadera—. ¿Te acabas de mudar a Nueva York?

También debería haber escuchado atentamente cuando mi madre me advirtió sobre la debilidad de las chicas estadounidenses por los chicos ingleses. O haber aprendido a hablar como un auténtico yanqui.

—Sí. La semana pasada. Pero, de verdad, tengo que irme. Lo siento, chicas. Pasadlo bien.

Intento esquivarla dando un paso hacia un lado.

—¡Entonces necesitarás a alguien que te enseñe todo esto!

—Tengo un mapa, pero gracias.

Me despido haciendo un gesto un poco raro con la mano y doy media vuelta.

—Bueno, ¿y qué te parece si te doy mi número por si tienes una emergencia?

—Estoy bien, de verdad.

—¡Me podrías dar el tuyo!

La pared de ladrillo que hay al otro lado de la calle me parece un sitio perfecto donde golpearme la cabeza.

—No tengo.

Prácticamente salgo corriendo hasta la esquina, y no dejo de hacerlo hasta que llego a mi apartamento y me paro de golpe para coger aire.

Entro en el edificio, veo que el ascensor esta estropeado y subo por la escalera. Me alegro mucho de estar en casa. Me dejo caer en el sofá y dejo que la puerta se cierre sola.

Dios. Maldita sea.

Ya estoy acostumbrado a llamar la atención de las chicas. Es decir, he tenido algunas novias, y también algún rollo de una sola noche, pero nunca me había pasado nada como lo de esta noche. Y todo porque soy inglés.

¿Me va a pasar esto cada vez que hable con una chica? Porque si es así, voy a necesitar algunas clases para aprender a hablar como un auténtico yanqui.

—¿Hola? —contesto el teléfono cuando se enciende la pantalla.

—¡Cariño!

La voz de mi madre trina al otro lado de la línea. Resbalo por los cojines deseando que el sofá se abra y me engulla.

—Mamá —contesto—. ¿Cómo estás?

—Estoy bien, Blake. ¿Y tú? No me has llamado.

—He estado liado. Ya sabes, con lo de instalarme y todo eso.

—¿Todo eso? ¿A qué te refieres con «todo eso»?

Guardo silencio un segundo.

—Al baile.

—¿Me estás diciendo que tienes tiempo de hacer piruetas como si fueras un hada, pero no puedes llamar a tu madre?

—He venido a Nueva York a bailar, mamá. ¿Te acuerdas?

—Sí, sí, eso ya me lo has dicho. Lo que quiero saber es cuándo vuelves a casa. Por aquí está todo demasiado tranquilo.

—No voy a volver a casa.

Ella guarda silencio durante un minuto que parece una hora.

—Pensaba que a estas alturas ya habrías tenido suficiente.

Y ahí está: la famosa confianza paternal de los Smith. Aunque puede que la reserven solo para mí.

—Llevo aquí poco más de una semana —le recuerdo.

—Ya lo sé, pero nunca has estado tanto tiempo fuera de casa. Por el amor de Dios, Blake, pero si una vez te fuiste a pasar el fin de semana con los abuelos cuando tenías once años y te disgustó tanto la experiencia que nunca volviste sin nosotros. Aunque eran los padres de tu padre, así que igual es comprensible.

—Sí, gracias, mamá —le digo con sequedad—. Por si no te has dado cuenta, ya no tengo once años. Tengo veintiuno. Ya sabes. Soy un adulto.

—Entonces, ¿por qué me hablas como si fueras una adolescente con las hormonas alborotadas?

Cierro los ojos y respiro hondo. Dios, quiero a mi madre, de verdad que sí, pero es la mujer más difícil de la tierra. La admiro por exigir respeto en cualquier situación pero, sinceramente, si ella me cabrea, yo le hablaré como si fuera un niño. A veces es la única forma de conseguir que me escuche.

EL JUEGO DE LA LUJURIA

—Bueno, olvídate de eso. ¡En realidad te llamo para darte una buena noticia!

—¿Una buena noticia? ¿Es que Kiera ha aceptado a alguna de las parejas que le buscas?

—No. —Parece un poco decepcionada—. Aunque me parece que le está cogiendo cariño a Martin, el hijo del doctor Lyle. Es un poco idiota, pero tiene un futuro brillante y se va a convertir en socio de su padre, así que sería un buen partido para ella.

Y es tan interesante como una carrera de cien metros de babosas.

Hago un sonido evasivo que espero interprete como un asentimiento. A veces es mejor no decir nada.

—¡Bueno, mi noticia!

Escúpelo ya, mujer.

—¡Mis zapatos van a saltar el charco!

Oh Dios, no.

—¿Ah, sí? —le pregunto con tono vacilante.

—¡Sí! Tengo programado un largo fin de semana de reuniones en Nueva York dentro de dos semanas, y quería explicártelo para que despejes tu calendario. Sería genial que pudiéramos cenar una noche y ponernos al día. Así me podrás contar todo lo de tu baile de hadas.

Me dejo caer de costado y entierro la cara en un cojín.

—Eso es genial, mamá. Estoy muy contento por ti. Sabía que hacía tiempo que lo esperabas.

De acuerdo, estoy contento a medias. Por lo menos la parte de mí que está contenta, está entusiasmada. Aunque solo sea porque así papá ya no tendrá que oír cómo se queja de las cadenas de moda estadounidenses y de que no dejen de rechazar los diseños británicos.

—Sí, mucho tiempo. Bueno, la cena. Yo aterrizo el jueves por la mañana, así que el día que mejor me iría es el mismo jueves por la noche. Aunque no podré quedarme hasta muy tarde, tengo una reunión el viernes a las ocho de la mañana y ya tendré suficiente castigo con el *jet lag*.

—Los jueves tengo clase de baile.

—Pues tendrás que saltarte esa clase.

—No puedo, mamá. Aunque me estuviera muriendo, Bianca esperaría que estuviera allí con las zapatillas puestas y preparado para bailar.

—¿Y a qué hora sales de clase?

—A las siete y media.

—Supongo que podemos cenar a las ocho. —Suspira—. De verdad, Blake, qué ganas tengo de que te olvides de esa tontería del baile.

Me muerdo la lengua mientras ella continúa con su cantinela sobre el tema del baile. Y, como siempre, ni siquiera menciona a Tori. Y eso todavía me da más fuerzas para seguir adelante.

De hecho, me cabrea aún más que los zapatos de mamá hayan saltado el charco tan pocos días después de que lo haya hecho yo.

Acudo a la clase de Bianca para bailar un poco por la tarde. En mi apartamento no hay mucho espacio para practicar, así que después de la última clase le pedí si podía utilizar el aula durante el fin de semana. Aceptó enseguida y me explicó que, de todas formas, ella tenía mucho papeleo.

Como no hay nadie más, la enorme sala está muy silenciosa. La única vez que he vivido este silencio fue el jueves, cuando vi cómo Abbi bailaba al son de una melodía que solo escuchaba ella. E, incluso entonces, estaba tan cautivado por sus movimientos, que no advertí la ausencia de ruido de fondo.

Me pongo los pantalones de chándal y una sudadera, y cambio mis calcetines por las zapatillas de baile. Recorro el aula con los ojos: ya no me acuerdo de la última vez que tuve tanto espacio para bailar solo. Una parte de mí no quiere recordar, y no lo hago.

Prefiero bailar.

Me entrego al baile con toda mi alma. Vuelco todas las emociones que rugen en mi interior: la incertidumbre de mi traslado, las dudas sobre vivir solo, el miedo al fracaso... Todas esas emociones empiezan a gotear de los dedos de mis manos y mis pies. Bailo de forma inconsciente, sé que mis pies tocan el suelo y se elevan, pero no soy consciente de nada más. Mi postura, mi posición, los pasos... No pienso en nada de todo eso.

Son cosas que van ocurriendo con sencillez.

Me paro con la respiración acelerada. Las emociones y el *ballet* siempre han supuesto para mí una mezcla embriagadora, una bendición y una maldición al mismo tiempo. Hoy parece que la parte negativa tenga más peso del habitual, y estoy convencido de que es por culpa de la llamada de mi madre. Siempre consigue sacar la peor parte de mí.

Cruzo la sala en dirección a mi bolsa con la intención de marcharme antes de lo que esperaba, pero la voz de Bianca me detiene.

—No acostumbro a ver a muchos bailarines como tú.

—No estoy seguro de cómo tomarme eso.

Me vuelvo hacia ella cuando estaba a punto de quitarme la sudadera.

Me sonríe.

—Es un cumplido. Normalmente, las personas que bailan tan bien como tú no me necesitan. Ya están en Juilliard. Enseñar a alguien con tu habilidad es raro para mí, y este año tengo dos alumnos así.

—Abbi.

Su sonrisa se viste de suficiencia.

—Sí. Los dos tenéis algo que no sabría describir. He visto cientos, quizá incluso miles de bailarines y, sin embargo, vosotros dos tenéis algo completamente diferente. Es casi como si hubierais nacido para bailar, solos y juntos.

—No estoy seguro.

—Yo sí. —Cruza la sala sin hacer ni un solo ruido con sus pies desnudos—. Cada año empiezo la clase con un *grand pas de deux*. Te voy a emparejar con Abbi por tres motivos. Uno: tú eres la única persona con la que ha hablado, y eso es importante para ella. Dos: vuestros cuerpos se complementan. Y tres... —Bianca levanta la vista y ladea la cabeza—: la bailarina romántica que llevo dentro tiene curiosidad por saber lo que haréis.

Frunzo el ceño.

—¿Por qué es tan importante para ella haber hablado con alguien?

—Porque sí.

Recuerdo las sombras de sus ojos. Las que captaron mi atención en cuanto me asomé a esos ojos azules. Esos ojos que tanto me recuerdan a los de mi hermana.

—Ella baila por otros motivos además del amor por el *ballet*, ¿verdad? —pregunto con delicadeza.

Bianca coge unos papeles que hay encima del piano.

—Me estás haciendo preguntas que no puedo responder, Blake. Los motivos que Abbi tenga para bailar son suyos, y la única persona que tiene derecho a compartirlos es ella. —Me mira a los ojos mientras se marcha hacia su despacho—. Puede que con el tiempo acabe compartiéndolos contigo. Espero que lo haga.

Se va y me deja mirando el vacío que ha dejado y deseando exactamente lo mismo.

Abbi

*E*l abrazo de Maddie me ha cogido por sorpresa. Me estrecha con fuerza y, cuando le devuelvo el abrazo y percibo el conocido olor que desprende, se me empiezan a llenar los ojos de lágrimas. No me había dado cuenta de lo mucho que la he echado de menos hasta que la veo. Solo han pasado cuatro meses, pero han ocurrido tantas cosas desde la última vez que vino a casa, que tengo la sensación de que ha pasado más tiempo.

—¡Dios! ¡Tu pelo! ¡Tú! —Me vuelve a abrazar—. ¡Estás en casa! Estás bien.

Me retiro y la miro.

—Estoy bien. Claro que estoy bien.

Las lágrimas brillan en sus ojos verdes y asiente.

—Yo solo… Tenía tantas ganas de que te pusieras bien… Y ya estás bien.

—Bueno, más o menos. Voy mejorando. Poco a poco.

Maddie me suelta por fin y se enjuga las lágrimas.

—Voy a por un café, ¿de acuerdo?

Asiento y ella se vuelve hacia el mostrador del Starbucks. Yo me siento a la pequeña mesa —nuestra mesa— y espero a que vuelva. Los sábados por la mañana en el Starbucks siempre son una locura, y me cuesta estar aquí. Me cuesta estar expuesta a tantas personas distintas.

Tengo la sensación de que todos los ojos que miran en mi dirección me están analizando. Cada mirada es un juicio. Todas las risas son por mí. Todas las conversaciones son sobre la chica de la esquina.

Sin embargo, lo gracioso es que aquí nadie me conoce. Estas personas no tienen ni idea de quién soy ni por lo que he pasado. Pero eso no impide que me sienta desnuda.

—¡Uf! —Maddie se deja caer en la silla que tengo delante y deja dos cafés y dos *muffins* delante de mí—. No se lo digas a Braden. Dice que como demasiadas cosas de estas... —Toquetea su *muffin* de arándanos—. Así que tengo que comérmelos cuando no me ve. Creo que este fin de semana me voy a comer como cien.

Sonrío con una extraña ironía.

—¿Maddie dominada?

—Psssh. Solo dejo que me domine con el cuerpo, porque el resto del tiempo es él quien está dominado. Créeme.

—Te creo. —Y es cierto. Maddie es la clase de persona que podría doblegar un pedazo de madera con el dedo—. ¿Y dónde está? Pensaba que vendría contigo.

Suspira.

—Iba a venir. Pero su abuela murió el fin de semana pasado y se ha ido a casa a ayudar a su madre y a solucionar unos temas. Le dije que iría con él, pero se podría decir que prácticamente me arrastró hasta el aeropuerto y me metió en el avión. El funeral es el fin de semana que viene, y entonces iré con él.

—¡No me habría importado que te hubieras ido con él!

—Ya lo sé, pero él no se lo creía. Me dijo, y cito textualmente, «ve a pasar un fin de semana de chicas y cómete esos malditos *muffins* que tanto te gustan».

Sonríe.

—Siento decírtelo, Mads, pero te tiene bien calada.

La señalo con la taza de café.

—Sí, es verdad, pero yo lo soborno y funciona.

—No quiero saberlo.

Niego con la cabeza.

—Bueno, ya basta de hablar de mi cavernícola. Quiero que me hables de ti. Hablar por teléfono no es lo mismo que estar contigo, así que cuéntamelo todo. ¿Cómo estás?

Encojo un hombro.

—Bueno, supongo que algunos días son mejores que otros. Hoy me siento bastante bien, pero eso podría cambiar un poco más tarde.

Ella se muerde el labio.

—¿Todavía…? —Hace una pausa—. Odio preguntarte esto. ¡Dios!

Me la quedo mirando. Ya sé lo que me está preguntado, pero quiero que lo diga. No lo hace. Alarga la mano por encima de la mesa y me agarra de la muñeca. Me acaricia la cara interior con el pulgar y yo inspiro hondo.

—¿Lo haces?

Yo niego con la cabeza y aparto la mano.

—Es duro, pero prefiero bailar. Eso y que mamá ha decidido esconder todo lo que tenga alguna punta afilada. Según mi padre, incluso intentó esconder los tenedores.

Le sonrío a Maddie y ella responde con amabilidad.

—Típico. Pero me alegro, Abbi. Me alegro de que hayas encontrado otra cosa que te ayude. Además, parece muy apropiado que lo que te ayude sea lo único que te negaste a dejar cuando lo hice yo.

La sonrisita de Maddie se convierte en una sonrisa de oreja a oreja.

—Oye, yo adoro el *ballet*. Todavía me encanta. Es lo que me ayuda a seguir.

Mi amiga asiente despacio y yo pienso que ya sé adónde se dirige nuestra conversación. Siento como desciende sobre nosotras, un enorme nubarrón de tormenta lleno hasta los topes de lluvia torrencial.

—¿Sabes... sabes algo de Pearce?

Asiento.

—Mierda. —Da una palmada en la mesa—. ¿Cómo te has enterado?

—Jake. Me lo encontré hace unos días y me lo explicó.

—¡Qué capullo! —Aprieta los dientes—. Le advertí que se mantuviera al margen. Vaya, Abbi. Siento no haberte contado lo que pasó. No quería explicártelo por teléfono, y luego supe que te daban el alta y no quería darte ningún motivo para que recayeras. Te lo iba a contar este fin de semana.

Me encojo de hombros.

—No pasa nada. Tenía que acabar enterándome en algún momento, ¿no es así? Si tengo que ser sincera, me parece que me da igual. Me asustaba pensar en la posibilidad de tener que encontrármelo, así que cuando he averiguado que eso no va a ocurrir, me he sentido mejor. Ahora me resulta más fácil estar en casa. La semana pasada me asustaba pensar que me lo podía encontrar al doblar cualquier esquina o al entrar en alguna tienda, pero ahora ya no tengo miedo. Me siento como... más libre. Como si de verdad pensara que ya no me puede hacer daño. Ya lo sabía antes, pero ahora lo creo de verdad.

Maddie coge un pedacito de *muffin* con los dedos y lo mastica con aire reflexivo.

—No sé si me importa. Bueno, es evidente que me importa un poco. Es mi hermano; es una mierda de hermano, pero es mi hermano al fin y al cabo. No quiero que esté allí, pero en cierto modo no puedo evitar pensar que se lo merece. Después de lo que te hizo, Abbi, y luego con todo eso de ponerse a traficar... ¿Cómo se puede ser tan imbécil? —Niega con la cabeza—. Tomó sus decisiones y eso le ha costado quince años de su vida. Después de todo lo que nos enseñó mamá, va y lo hace de todos modos. Si mi madre pudiera verlo ahora se sentiría muy decepcionada, y me alegro mucho de que no pueda.

Me inclino hacia delante y la cojo de la mano. Ella me estrecha los dedos.

—Estoy bien —dice sorbiendo por la nariz.

—Mads, es normal que te preocupe que esté en la cárcel. Sigue siendo tu hermano, y no se convirtió en un capullo hasta que empezó el instituto.

—El problema es que ese es el Pearce que yo recuerdo. El que no era un gilipollas.

—¿Sabes qué? —Paseo la mirada entre mi café y ella—. Creo que es el mismo problema que tenía yo. Creo que me enamoré del Pearce que nos lanzaba globos de agua, el que robaba las galletas recién hechas de tu madre y el que lanzaba piedras a los chicos que nos molestaban. —Miro por la ventana y se me encoge el corazón al comprender que lo que estoy diciendo es completamente cierto—. Creo que me enamoré de la idea de la persona que podría llegar a ser, y no de la persona que en esos momentos era, y ese es el motivo de que nunca lograra verlo tal como era en realidad. Estaba atrapada en un cuento de hadas, pero todo el mundo sabe que los cuentos de hadas no son reales.

—Mi hermano siempre será un capullo, pero eso no significa que los cuentos de hadas no existan. Recuerda que todos los cuentos de hadas tienen un chico malo y un mal momento, pero también tienen un final feliz. Tú ya has pasado por tu mal momento, ahora solo tienes que esperar tu final feliz.

Sonrío con tristeza al ver su expresión cargada de esperanza.

—Yo no creo en los finales felices, Maddie. Ya no. Estoy viva. Y eso ya es un final lo bastante feliz para mí.

Y

—¿Mamá? ¡Mamá!

—Tu maillot está en la secadora, las medias están sobre el respaldo de la silla, y la laca nueva que pediste está en el baño.

Parpadeo mirando a mi padre, que está escondido detrás del periódico.

—Vaya, papá. ¿Cuándo te has hecho la operación de cambio de sexo?

Baja el periódico unos centímetros y le veo los ojos.

—Muy graciosa, Abigail. Tu madre me dejó esas instrucciones antes de marcharse a tomar café con las amigas.

—¿Y te has acordado? Estoy impresionada. Puede que no seas tan viejo como pensaba.

Baja el periódico hasta posarlo sobre su regazo y me mira por encima de las gafas de leer. Está reprimiendo una sonrisa, pero yo no me esfuerzo por ocultar la enorme sonrisa que esbozo de camino a la cocina.

—Me lo ha hecho repetir veinte veces. He pensado que debía decirlo en cuanto te oyera, así no olvidaría decirte que tenía algo que decirte —me grita.

Cierro la puerta de la nevera y me apoyo en el marco de la puerta de la cocina.

—Espera, ¿ya es demasiado tarde para replantearse lo de la vejez? Porque olvidarse de no olvidarse algo es lamentable, papá.

—Esta conversación me está empezando a confundir. Es domingo por la mañana, y es muy pronto.

—Son las once.

—¿Ah, sí?

—Pues sí. No se puede decir que acabe de amanecer.

Lanzo una mirada acusadora a los pantalones de su pijama.

Él los mira y luego me vuelve a mirar a mí.

—¿No tienes que prepararte para ir a una clase?

—¡Ya voy, ya voy! —Me doy media vuelta, luego

me detengo y lo miro por encima del hombro—. Maddie llegará enseguida. Se viene a clase conmigo.

Papá ruge.

—Oh, Dios. Ya vi a Maddie bailar en una ocasión y no fue agradable.

Me río.

—Viene a mirar. Dice que quiere ver al Guapísimo Chico Británico.

—¿Y cómo sabe que en tu clase hay un chico británico guapísimo?

No pretendía decir eso en voz alta.

—Quizás tenga un micro colocado en la clase. Quién sabe —le digo en un intento por escaquearme mientras sonrío con dulzura.

—Sabes, Abbi, estoy seguro de que debería estar remangándome…

—Pero hazlo después de cambiarte ese pijama.

—Está bien. Como iba diciendo, cariño, creo que debería remangarme e ir a tu clase para ver a ese chico británico tan guapo con mis propios ojos.

—Eso podría ser bastante embarazoso. —Me estremezco—. Y debo añadir que también es completamente innecesario.

—Pero no siento la necesidad de hacerlo. En realidad me gusta oírte decir que hay un chico guapísimo en alguna parte.

Me vuelvo hacia él.

—Yo nunca he dicho que fuera cosa mía.

—Tampoco lo has negado.

—Bueno, no. Pero… —No dejo de moverme; estoy nerviosa—. Yo. Sí.

—Y como ya te he dicho, me gusta bastante.

—Eso no es normal, papá.

—Puede que no, pero el hecho de que describas así a alguien después de lo que has pasado, me hace sentir que una parte de mi niña sigue aquí. Y que se lo hayas contado a Maddie, que ella vaya a ir a clase contigo, y no tener ninguna duda de que vayas a utilizar las próximas diez llamadas de teléfono arruinándome para hablar de él, me hace muy feliz.

—Papá, estoy deprimida, no ciega. ¿Y me acabas de dar permiso para hablar por teléfono hasta arruinarte?

—¿Qué? No. No he dicho que pudieras hacerlo. He dicho que lo harías.

Me río, cruzo el salón y me agacho para abrazarlo. Él me acaricia la espalda con suavidad y yo le doy un beso en la mejilla.

—Te quiero, papi.

—Y yo te quiero a ti, princesa. Ahora ve a ponerte guapa para atormentar a ese chico británico guapísimo; yo haré subir a la dinamita en cuanto llegue.

Me da una palmadita en el brazo y sonríe. Salgo del comedor oyendo el ruido que hace al pasar las páginas del periódico, cojo mi maillot de la secadora que está en el lavadero y subo a buscar mis medias. Y tal como ha dicho mi padre, están sobre el respaldo de la silla de mi habitación.

Me pongo la ropa de *ballet* y me recojo el pelo en un moño impecable. Hacía mucho tiempo que no tenía tanto brillo en los ojos o la mirada tan clara como ahora. Tengo más color en las mejillas y me brilla más el pelo. Miro la báscula y me planteo si me apetece subir. Me ha costado mucho recuperar todo el peso que perdí la primera vez que estuve en San Morris y, aunque estoy empezando a recuperar las curvas, todavía me resulta desmoralizante.

Me quito los pantalones y me subo a la superficie de cristal antes de poder replanteármelo. Los números rojos de la pantalla digital fluctúan un poco, y me muerdo el labio mientras espero a que se paren. Se detienen. Y sonrío. Llevo tres semanas sin pesarme, y ha valido la pena, porque he ganado un kilo y medio.

Ese kilo y medio significa todo un mundo para mí.

La risa de Maddie sube por la escalera y yo me vuelvo a poner los pantalones de chándal para reunirme con ella.

—Bien. Ya estás lista. Vamos. Quiero ver al Guapísimo Chico Británico —dice en cuanto llego al último escalón.

—Tiene nombre, ¿sabes? —murmuro cogiendo la bolsa.

—¿Ah, sí? No me lo habías dicho —bromea.

—Muy graciosa. —Abro la puerta—. Ya sabes que la clase de los domingos dura tres horas, ¿verdad?

—Me tomas el pelo.

—No.

—En ese caso, Abigail Jenkins, tienes mucha suerte de que me guste tanto verte bailar.

Le sonrío y nos subimos al taxi que nos está esperando fuera para cruzar el puente hasta la escuela de Bianca. Es un viaje rápido, y cuando llegamos allí, Maddie se detiene a admirar el pequeño edificio donde está la escuela.

—Es… distinto de lo que esperaba —comenta.

Yo la miro alzando una ceja.

—¿Qué? ¿Esperabas algo como Juilliard?

—No exactamente. Pero Juilliard es tan… bonito. Y esto es, bueno, esto no lo es.

Me apoyo en la puerta y la abro con una sonrisita de suficiencia en la cara.

—Todavía no lo has visto por dentro.

Ella me sigue en silencio por el pasillo que conduce a la clase principal. Vuelvo la cabeza para ver como abre los ojos de par en par y se queda boquiabierta. Sé que está experimentando lo mismo que yo cuando entré en la escuela de Bianca por primera vez: una completa y absoluta incredulidad de que una escuela tan profesional y perfecta pueda estar ubicada en el interior de un edificio con un aspecto tan vulgar.

—¡Vaya! —susurra—. Esto sí que es una escuela.
—Observa a su alrededor con atención y examina cada centímetro de la sala, hasta detenerse en la esquina—. ¡Guau, está cañón!

Sigo la dirección de su mirada hasta encontrarme con la espalda de Blake. Si el pelo castaño despeinado sumado al hecho de que llegue pronto no son pistas suficientes de que realmente se trata de él, lo que seguro que le delata es su postura. Tiene un porte fuerte y alto, y no se encorva ni un centímetro. Su postura es casi majestuosa, y lo miro de arriba abajo antes de darme cuenta de lo que estoy haciendo. Aparto la mirada.

—¿Ese es el chico inglés? —Maddie me da un codazo en el brazo—. Espera, sí que es él. ¡Estás babeando!

Yo vuelvo la cabeza de golpe para mirarla.

—¡No es verdad!

Mi amiga me mira un momento y luego sonríe.

—Solo un poco. Pero te aseguro que no te culpo.

—Tienes novio —le recuerdo.

—Puedo mirar, Abbi. En especial cuando las vistas son estas.

Pongo los ojos en blanco y me encamino hacia los bancos donde está Blake.

—California te está corrompiendo, Maddie.

—Puede que un poco.

Encoge un hombro y me sigue.

Blake se da la vuelta cuando dejo la bolsa en el suelo y me sonríe.

—Abbi.

—Blake.

Le devuelvo la sonrisa, aunque un tanto más vacilante.

—¿Sabes? —Se apoya en la pared y me mira con despreocupación—. He oído que Bianca nos va a emparejar para que podamos coreografiar nuestra propia pieza. Se ve que quiere saber si estamos preparados para estar en su clase.

—¿Y dónde lo has oído?

Cojo mi botella de agua y noto una punzada de pánico que me recorre de pies a cabeza.

Emparejar. Coreografía. Eso significa tener que pasar tiempo con la pareja de baile fuera de la escuela. Además de interminables sesiones de baile con el mismo chico.

Un nivel de intimidad para el que todavía no estoy preparada.

—Yo… bueno… Me lo dijo ella —admite encogiéndose de hombros—. Vine a practicar un poco ayer, y me lo mencionó.

—Oh. —Me quedo parada—. Entonces, ¿ya nos ha emparejado?

—No tengo ni idea.

Blake se encoge de hombros otra vez y mira por encima de los míos en dirección a Maddie.

—Perdona, Blake, te presento a Maddie, mi mejor amiga. Maddie, este es Blake.

Los presento y doy un paso a un lado para cambiarme.

—¿Vienes a hacer clase? —le pregunta Blake.

Ella se deshace en carcajadas.

—No, qué va. Se me da fatal bailar. Solo he venido a mirar.

—La escuela tendría que cerrar si Maddie intentara bailar —murmuro atándome los lazos de las zapatillas.

—Cállate —contesta riéndose un poco.

Yo le sonrío y voy hacia la barra. Blake me sigue y los dos tomamos nuestras posiciones habituales al fondo de la clase.

Bianca entra en el aula enorme con paso delicado y firme y se detiene delante de nosotros en primera posición. Entrelaza un poco los dedos de las manos y las deja suspendidas a la altura de su estómago. Luego nos contempla y yo siento cómo analiza con la mirada a todos y cada uno de nosotros.

—*Pas de deux*.—Sus palabras son ásperas y directas, y cortan el silencio que se hace siempre que aparece en el aula—. Una pareja. Cuando estéis en Juilliard, además de bailar perfectamente como individuos, también se esperará que lo hagáis con una pareja. Si no podéis hacerlo, deberíais marcharos, aprender a hacerlo y regresar más adelante. Recordad que yo estoy aquí para perfeccionar vuestras habilidades, no para enseñaros cosas nuevas.

»Y dicho esto, después de observaros durante las dos últimas clases, os he emparejado con el bailarín que creo que mejor se adapta a cada uno de vosotros. Tenéis un mes para preparar la coreografía de un *pas de deux*, ponerle música e interpretarla lo mejor que podáis en una presentación especial que realizaremos en el pequeño teatro de un amigo mío. Invitaremos a la familia y a los amigos, así que tenéis que hacerlo bien. Por eso...

Me concentro en la voz de Bianca y me agarro con fuerza a la barra. La idea de pasar un montón de horas con alguien a quien no conozco, de bailar con él, compartir las partes más profundas de mí misma... Me aterra. Ya sabía que acabaría pasando. Sabía que tendría que hacerlo tarde o temprano, pero no creía que fuera a ocurrir tan pronto. Nunca pensé que me encontraría en esta situación después de solo tres clases.

No puedo hacerlo. No estoy preparada para esto. No estoy preparada para desnudar mi alma.

—¿Abbi?

Me alejo de la voz dura y llena de dudas que resuena en mis oídos, y me concentro en la voz que está diciendo mi nombre. No quiero hacerlo; no quiero saber con quién tendré que pasar un montón de interminables horas durante todo un mes.

Cuando me vuelvo hacia esa voz, me encuentro con unos ojos verdes: Blake.

—¿Estás bien?

—Yo… Sí. —Esbozo una sonrisa vacilante—. Solo… pensaba.

Me observa durante un segundo interminable sin dejar de mirarme a los ojos. Es como si él pudiera ver algo que los demás no ven, que puediera comprender lo que soy incapaz de decir. Pero eso es una locura, porque todo está por dentro, encerrado, donde nadie puede verlo ni entenderlo.

Inspiro hondo y cierro los ojos. Cuando los vuelvo a abrir, está caminando de espaldas. Pero sigue mirándome, y esta vez lo hace con una intensidad que me hace estremecer. Tengo ganas de frotarme los brazos y esconderme; su mirada me hace sentir desnuda. Como si con cada parpadeo me quitara una capa más. Y no importa lo mucho que lo desee o lo mucho que me esfuerce, no puedo dejar de mirarlo a los ojos.

—¿Vienes? —pregunta.

—¿Adónde?

Reprime una sonrisa.

—Tenemos que diseñar y preparar una coreografía.

Blake

*J*ugueteo con el pedazo de papel en el que Abbi me anotó su número de teléfono el pasado domingo. Me lo paso por entre los dedos una y otra vez mientras le voy echando miradas fugaces a mi móvil.

Y me siento como un completo idiota.

No sé nada de esta chica, excepto su nombre y que baila tan bien como una bailarina profesional. También sé que es guapa —tendría que estar completamente ciego para no haberme dado cuenta—, y me siento completa y absurdamente atraído por su ágil cuerpecito. Pero eso es todo. No tengo ni idea de qué hace aparte de bailar, si tiene novio, o por qué, cada vez que baila, aparece una sombra que le empaña la mirada. Pero quiero saberlo.

Ayer pasé buena parte del día convenciéndome de que lo quiero saber porque el próximo mes vamos a pasar mucho tiempo juntos. Que el *pas de deux* nos saldrá mejor si somos amigos. Que para reforzar la confianza necesaria entre los miembros de una pareja de baile, deberíamos conocernos mejor, y no solo como bailarines. Y mientras me convencía de eso, estaba negando el hecho de que, en realidad, es porque esas sombras me resultan demasiado familiares.

Me estaba negando la certeza de que quiero conocer a Abbi porque hay algo en ella que me recuerda a Tori. Algo que no sé discernir con claridad; puede que sea la forma que tiene de abstraerse a través de la danza, o que parezca tan delicada, tan frágil. Puede que sea porque, a veces, sus sonrisas me resultan un poco forzadas.

O puede que sea yo. Puede que esté viendo algo que no está ahí, que esté interpretando demasiadas cosas. Quizá solo sea tímida. Y yo voy y me pongo a compararla con mi hermana muerta.

Puede que me lo esté imaginando todo y que esté buscando algo que me recuerde a Tori, algo a lo que poder aferrarme. Tal vez sea una combinación de ambas cosas. Eso explicaría por qué Abbi tiene algo que me intriga tanto. Y que ese sea el motivo por el que ese algo no deje de darme palmaditas en el hombro hasta que me rindo y me pongo a pensar en ello.

Cojo el móvil y marco su número de teléfono; si sigo pensando en ello me voy a volver loco. Contesta en el tercer tono.

—¿Hola?

Su voz es suave y recelosa.

—Soy Blake.

«Dios, qué elocuente soy». A mi madre le daría un ataque si pudiera oírme en este momento.

—Oh. —Oigo un ruido de fondo—. Hola.

—Hola. —Guardo silencio mientras contemplo mi apartamento—. Espero que no te importe que te telefonee.

—No, no me importa que me llames.

Percibo una sonrisa en su voz y me río.

—Perdona. Espero que no te importe que te llame.

—No. Si me importara, no te habría dado mi número de móvil.

—Supongo que ya sabes que en Inglaterra no lo dirían así, ¿verdad?

Sus carcajadas resuenan por el auricular del teléfono.

—No es culpa mía que los británicos habléis de una forma tan rara.

—¡Oye! El idioma se llama inglés por algún motivo,

¿sabes? Un británico y un inglés son casi lo mismo. Sois vosotros los estadounidenses quienes habéis cambiado todas las palabras.

—Lo que tú digas. Pero los británicos solo pensáis que el idioma os pertenece porque vivís en Inglaterra.

—Me parece que tendremos que seguir hablando sobre esto —reflexiono.

—Estoy de acuerdo.

—El motivo de mi llamada es otro.

Casi puedo oírla sonreír.

—¿Sí?

—Ya sé que esta noche tenemos clase, pero me preguntaba si estarías libre. Ya sabes, antes de clase. He pensado que podríamos conocernos. O algo.

Me rasco la nuca mientras espero su respuesta.

—Cla... claro. ¿En qué estabas pensando?

—Hum... —Suelto una risita nerviosa—. Es gracioso que me preguntes eso, porque en realidad mi plan se ha quedado a medias.

—No conoces ningún sitio al que ir en Brooklyn o en Nueva York —afirma con un tono divertido.

Estoy empezando a preguntarme muy en serio si alguna vez mantendremos una conversación en la que no se ría de mí.

—Sí. Más o menos.

—Bueno. Pues eso depende de dónde vivas.

—En Brooklyn.

—Vaya, yo también. ¿Sabes donde está el Starbucks del centro?

—Pues...

Intento recordar lo que conozco del centro de ir y venir del restaurante, pero no me suena haber visto ningún Starbucks.

—¿Conoces el Whole Foods? ¿El supermercado?

—Sí. Aunque no parece un sitio donde iría a pasar el rato.

—Y ahí está el famoso humor inglés —me contesta con sequedad. Yo sonrío—. Si puedes llegar hasta allí sin perderte...

—¡Oye!

—... nos vemos allí dentro de media hora, y te enseñaré un poco de Brooklyn. ¿De acuerdo?

—Suena bien. Nos vemos. —Me dejo caer de nuevo en el sofá y cuelgo la cabeza por el borde del respaldo—. Dios —murmuro para mí.

Me paso la mano por la cara.

Solo dispongo de media hora y es verdad que sé dónde está el Whole Foods, pero no tengo ni idea de cómo llegar hasta allí a pie. Y todavía llevo el pijama puesto.

Abbi está sentada en el muro del Whole Foods. Tiene las piernas colgando, está un poco agachada hacia delante y el pelo le enmarca la cara. Cuando me acerco se lo coloca con suavidad detrás de la oreja y levanta la mirada.

—No está mal —dice mirándose el reloj—. Solo llegas diez minutos tarde.

—Sí. He hecho trampas —admito—. Después de dar vueltas durante cinco minutos, me he perdido y he llamado a un taxi.

Abbi esboza una sonrisa de medio lado.

—Pensaba que habías dicho que sabías dónde estaba el Whole Foods.

—Y eso he dicho. Pero nunca he dicho que supiera llegar hasta aquí. —Me apoyo en el muro y la miro—. Dime, ¿adónde me llevas?

Ella baja del muro de un salto y aterriza de puntillas con elegancia. Baja los pies y se vuelve para mirarme.

—A Prospect Park. Es uno de mis sitios preferidos, en especial a principios de verano, y he pensado que sería tan buen lugar como cualquier otro para empezar.

—Nunca he oído hablar de ese parque.

—Eso es porque la mayoría de la gente piensa en Central Park cuando oye las palabras parque y Nueva York, aunque se refieran al estado de Nueva York en lugar de a la ciudad. —Se desliza un mechón de pelo entre el dedo índice y el pulgar—. Cosa que es una lástima, porque Prospect Park es muy bonito.

—Te sigo.

—¿Estás de broma? Está en la otra punta de Brooklyn. Tienes que parar un taxi.

Abbi se vuelve y me sonríe.

¡Venga ya!

—¿Sabes lo difícil que es conseguir uno de esos?

—No es tan difícil. Solo le tienes que hacer señales a uno y se parará.

—Si es tan fácil, hazlo tú.

—Si tan difícil te parece, necesitas practicar. —Sonríe—. Mira, viene uno por esa calle. Intenta pararlo.

Miro la carretera llena de coches y veo uno de esos coches de color amarillo que se dirige hacia nosotros. Cuando está lo bastante cerca como para que el conductor pueda vernos, hago lo que me ha dicho Abbi y le hago una señal. El conductor me ignora por completo y pasa de largo. Ella intenta reprimir una pequeña carcajada tapándose la boca con la mano. Las arruguitas que se le forman alrededor de los ojos la delatan y sé que se está riendo, y por mucho que lo esconda yo tampoco puedo evitar reírme.

—Pruébalo otra vez —me ordena.

Y lo hago.

Y otra vez.

Y otra.

Y otra.

—¡Me rindo! —Levanto los brazos—. Te juro que me rindo. No entiendo por qué hay que hacerles señales a esos tíos. En Londres nos limitamos a llamar al servicio de taxis, les pedimos que vengan a recogernos a un sitio y ellos vienen. Me siento como un maldito limón aquí plantado agitando los brazos como loco para conseguir un taxi.

Esta vez Abbi no se esfuerza en esconder su sonrisa. Se agarra a la farola, se pone de puntillas y mueve el brazo en dirección al taxi que se acerca. El coche aminora la velocidad al acercase y se detiene junto al bordillo. Yo me quedo mirando a Abbi completamente alucinado.

—¿Lo ves? —Sonríe—. Es fácil.

—No entiendo cómo lo has hecho. —Abro la puerta del taxi. Ella sube y yo me siento a su lado. Le pide al conductor que nos lleve a Prospect Park mientras sonríe a escondidas, pero no vuelve a decir una palabra más hasta que llegamos. Yo le pago al conductor, salimos y veo su lugar preferido por primera vez.

El enorme arco que nos recibe me recuerda al Arco de Triunfo de París. La piedra está muy bien tallada, y las estatuas de los hombres y los caballos que lo adornan parecen majestuosos y muy militares.

—El Arco de los Soldados y los Marineros —dice Abbi en voz baja por detrás de mí—. Mi entrada preferida. Cuando era niña solía venir a mirarlo durante horas. No sé por qué, pero me hipnotizaba.

—Es comprensible.

Mis ojos saltan de una estatua a otra, y apenas me doy cuenta de que ella ya ha cruzado el arco para pasar al otro lado de la calle.

—¿Vienes o te vas a quedar ahí todo el día como un limón?

Cruza la calle cuando encuentra un hueco entre el tráfico y yo corro para alcanzarla. Justo en la entrada del parque hay más monumentos y arcos, todos rodeados de arbustos verdes y árboles en plena explosión veraniega. Acabo de llegar y ya entiendo por qué a Abbi le gusta tanto este sitio.

—Este parque parece enorme —murmuro.

—Es que lo es. —Pasa la mano por la corteza de un árbol—. Me parece que ese es el motivo de que me guste tanto. Es un sitio perfecto para desaparecer.

—Me parece a mí que te escondes mucho para ser alguien que persigue un sueño en el que va a ser el centro de atención —digo sin pensar.

Le falla el paso un segundo. Una nube de incomodidad flota sobre nosotros, y enseguida entiendo que he dicho algo que no debía.

—Incluso las personas que siempre son el centro de atención necesitan esconderse de vez en cuando. —Su voz es suave, apenas se la oye por entre la brisa delicada que se cuela por entre los árboles que nos rodean—. Si me prometes que no intentarás encontrarme, te enseñaré dónde me escondo.

Cuando me mira por encima del hombro advierto las sombras en su mirada juguetona. Siempre están ahí, y tiran de mí y me hipnotizan mientras ella se aleja unos pasos.

Levanto dos dedos.

—Te lo prometo. Palabra de *scout*.

—¿Has sido *boy scout*?

Se detiene.

—No. Bueno, una vez. Pero odiaba el uniforme y lo dejé. —Me encojo de hombros—. Además, a mi hermano le encantaba. Y no estaba dispuesto a pasar más tiempo del necesario con Jase.

—¿No os lleváis bien?

—Como el agua y el aceite —le contesto con sequedad—. Aunque ahora no nos llevamos tan mal. Cualquiera pensaría que siendo los únicos dos chicos en una familia de seis hermanos nos llevaríamos bien, pero la verdad es que no. Tiene diecisiete años y, no te voy a engañar, su actitud de «lo sé todo y siempre tengo razón» me pone de muy mal humor.

—¿Alguna vez has pensado que tu actitud de «no lo sabes todo y casi nunca tienes razón» debe de molestarle a él? —me pregunta Abbi alzando una ceja mientras paseamos por un camino que parece interminable.

—La verdad es que no.

—Pues es muy probable.

—¿Cómo lo sabes?

Se señala con el dedo.

—Yo tengo dieciocho años.

—Y yo que me había marchado tan feliz de Londres convencido de que ya no tendría que lidiar con más adolescentes. Maldición.

—Tienes mucha suerte de que tenga la fuerza de un bebé recién nacido, porque si no fuera así te tiraría desde el puente por lo que acabas de decir.

—¿Puente?

Bajo la vista y me doy cuenta de que estamos encima de un puente. Justo debajo de nosotros hay una pequeña cascada rodeada de piedras y rocas. El agua cae a una piscina cristalina que sobrevuelan un montón de pájaros de especies que desconozco. Algunos se posan sobre los árboles, y otros aterrizan sobre rocas y se quedan mirando el agua antes de volver a alzar el vuelo.

Aparte del rugido del agua y del canto de los pájaros que se posan sobre los árboles, reina un silencio absoluto. No me había dado cuenta de lo vacío que está el parque hasta este momento, ni tampoco de lo bonito que es.

Y Abbi tiene toda la razón. Este es un sitio perfecto para esconderse, para perderse, para desaparecer. Y tengo la sensación de que ni siquiera hemos empezado a descubrir todo lo que puede ofrecer Prospect Park. Yo crecí en Londres y pasaba la mitad de las vacaciones en las casas de campo de mis abuelos paternos, cosa que significa que no soy ajeno a la naturaleza o a los parques, pero puedo afirmar con sinceridad que ninguno de los sitios que conozco pueden compararse con este lugar.

Me vuelvo hacia Abbi para decírselo, para darle las gracias por haber elegido enseñarme este parque antes que cualquier otro lugar, pero ya no está a mi lado. Me doy media vuelta y la busco, pero ha desaparecido.

—¿Abbi?

Oigo una risita y me asomo al puente. Está sentada en la roca que hay en medio de las cascadas. Tiene los zapatos en la mano y está balanceando el pie dentro del agua.

—Ya te he dicho que aquí es donde vengo a esconderme. —Su tono es provocador—. Estas cascadas se llaman Fallkill Falls. Solo es uno de mis escondites, pero es el mejor. Estas cascadas están conectadas a un montón de cascadas, piscinas y desfiladeros. Esta está alejada del canal principal y por eso viene menos gente. Normalmente solo llegan hasta aquí las personas a las que les encanta la naturaleza, o amantes en busca de cinco minutos de privacidad.

Me agarro de la barandilla del puente y sonrío.

—Estoy seguro de que esa debe de ser una visión muy exótica.

—Solo me ha pasado una vez y prefiero que no se vuelva a repetir.

Se estremece y se vuelve a poner el pelo detrás de la oreja.

Me río y paso al otro lado del puente. Trepo por el lateral hasta que alcanzo una roca con el pie para bajar. Abbi observa cómo me quito los zapatos y meto los pies en el agua fría. Me hace sitio en la roca para que me pueda sentar a su lado y se coloca un mechón de pelo detrás de la oreja.

—Ahora entiendo por qué les gusta venir a las parejas de amantes —reflexiono contemplando el paso del agua—. Estás rocas deben de favorecer un montón de posturas interesantes.

Abbi resopla en silencio y me mira.

—¿Cómo por ejemplo?

—Bueno. —No lo había pensado—. No soy un Kama Sutra con patas, ¿sabes?

—¿En serio? —Alza una ceja—. Eres un hombre, ¿verdad?

Me vuelvo y miro sus brillantes ojos azules.

—Te puedo asegurar que sí.

Se ruboriza.

—Pues la mayoría de los tíos que conozco tienen el Kama Sutra grabado a fuego en el cerebro.

—Probablemente eso sea porque los hombres que conoces no han pasado la pubertad.

—Es verdad, pero lo conocen igualmente.

Yo le sonrío despacio, coloco una mano detrás de ella y me reclino un poco. No dejo de mirarla a los ojos y, cuando el rubor desaparece de sus mejillas, ella se humedece los labios.

—Eso es porque los chicos necesitan el Kama Sutra. Todavía no se han dado cuenta de que hay más formas de hacer feliz a una mujer que no tienen nada que ver con utilizar la polla.

Se le abren los ojos, entreabre los labios y la sangre le vuelve a sonrojar las mejillas. Se aparta el pelo de la cara y baja un momento la vista. Solo un segundo. Antes de que pueda decir nada más, me vuelve a clavar sus ojos azules y me deja atrapado.

—¿Eso significa que tú ya no te consideras un chico?

—Sé que ya no soy un chico. Es muy probable que yo tenga más habilidad con las manos de la que cualquier chico pueda tener con su herramienta.

Abbi carraspea y aparta la mirada.

—Creo que ya lo he pillado.

La observo sin dejar de sonreír.

—Supongo que tú solo has estado con un chico.

—¿Quién dice que he estado alguna vez con alguien? —pregunta en voz baja.

—Ninguna virgen puede tener esa mirada.

Ella reprime una sonrisa.

—Esta conversación se está poniendo muy personal, ¿sabes?

—Estamos aquí para conocernos mejor. —Sonrío—. Y mantengo mi afirmación. Es imposible que seas virgen.

—Creo que me lo tomaré como un cumplido.

—Bien. Es lo que pretendía. Pero, eh... —Le doy un codazo y ella me mira—. Si eres virgen...

Abbi sonríe y me empuja de la piedra antes de que pueda acabar la frase. Yo me río intentando mantener el equilibrio sobre las piedrecitas que hay debajo.

—Idiota —murmura sonriendo.

Doy un paso, pero piso en falso y me caigo de espaldas. Las piedras se me clavan en el trasero y Abbi se muere de risa. De eso nada. Dejo los zapatos sobre la roca que tengo al lado y gateo hacia ella por el pequeño pero caudaloso arroyo de agua. La cojo de los tobillos y tiro de ella.

—¡Blake! —grita resbalando por la roca.

Me río al ver la cara de sorpresa que pone cuando se cae al agua. Me salpica cuando aterriza a mi lado. Yo sonrío.

—Ahora ya no es tan divertido, ¿verdad? —bromeo.

—¡Ya te diré yo lo que es divertido!

Me vuelve a empujar y me caigo de lado. La agarro de la mano en el último segundo y la arrastro conmigo mientras los dos nos reímos. Ella aterriza con la mitad del cuerpo encima de mí y la otra mitad sobre el agua, y se queda de piedra.

Su cuerpo y sus ojos cuentan historias completamente diferentes. Su cuerpo se ha quedado de piedra y la única parte que se mueve es su pecho, que sube y baja a toda prisa. Tiene la mano pegada a mi pecho y le tiembla como si tuviera miedo. Pero no me mira con los ojos abiertos de par en par ni veo pánico en ellos. Los tiene entornados y solo reflejan diversión. Me mira fijamente y su mirada es intensa, implacable, firme. Tiene unos ojos preciosos. Ella es preciosa. Se me contrae la mano que tengo sobre su cintura, y el agua pasa por entre nuestros cuerpos mientras seguimos tendidos allí.

Abbi se retira muy despacio y se levanta. Coge sus zapatos de encima de la roca y da unos pasos vacilantes hacia los míos mientras yo me pongo de pie.

—Ten cuidado —me advierte con delicadeza—. Las piedras están sueltas.

—No me digas —tercio con sequedad cuando me da mis zapatos—. Gracias.

—De nada. —Se sube a las rocas y pone los zapatos en el puente. Yo la sigo y ella se detiene antes de subir a la barandilla del puente para decirme en voz baja—: Y no lo soy, por cierto.

No me mira.

—¿El qué?

—Virgen.

Y por algún motivo, eso me molesta.

Abbi

—*M*amá, ha pasado un año.

—Ya lo sé cariño, pero estoy preocupada.

—No estoy del todo bien, pero creo que me puedo afeitar las piernas sin sentir la necesidad de reabrirme todas las cicatrices.

Esbozo una mueca y siento una punzada de ira contra ella.

—No pretendía decir…

—Mira, si quieres, puedes venir a ver cómo lo hago. Así estarás más tranquila. —La frase me sale más sarcástica de lo que debería, pero antes o después tendrá que empezar a confiar en mí—. Cualquiera que fuera el motivo que me empujaba a hacerme cortes, ya lo tengo controlado. —«Casi»—. Puedo luchar contra la tentación. Ahora soy más fuerte.

«Casi».

—Solo estoy preocupada por ti, Abbi.

Se frota la frente.

—Oh, por el amor de Dios, Miranda. Deja que la chica se afeite las piernas como cualquier chica normal de dieciocho años —grita papá por encima de su periódico—. Ya te ha dicho que puedes entrar a mirarla si eso te va a hacer sentir mejor.

Aprieto el vaso con la mano y pego los ojos a la mesa. Me encantaría que confiara en mí. Los errores que cometí en el pasado no son más que eso: errores.

Soy muy consciente del daño que le hice a mi madre, y no quiero volver a hacerlo.

Mamá suspira. Papá se apoya el periódico en el regazo, se quita las gafas y la mira a los ojos.

—Miranda, cariño, no va a mejorar si la tienes todo el día entre algodones. Sé que estás preocupada. Yo también, pero tenemos que darle un poco de libertad. Si Abbi quiere afeitarse las piernas en lugar de utilizar esa apestosa crema que le compras, déjala. Ya no es una niña. Ya conoce las consecuencias de sus acciones.

—Y está sentada aquí mismo —murmuro dándole unos golpecitos al vaso en lugar de cogerlo. Suspiro y miro a mamá a los ojos—. Papá tiene razón, mamá. No estoy hecha de porcelana fina. No me voy a romper solo por ver una cuchilla. La verdad es que solo quiero afeitarme las piernas. Ya está. No te lo pediría si no pensara que puedo hacerlo.

Mamá se presiona los ojos con las manos y suspira. Es un suspiro lleno de dolor, y probablemente esté haciendo lo que papá llama «la técnica de la guardería». El primer día que fui a la guardería, mi madre estuvo llorando durante media hora antes de dejarme. A medida que he ido creciendo el llanto se ha convertido en inquietud, es como si quisiera que fuera su bebé para siempre. A eso se refiere mi padre.

—De acuerdo. Está bien. Te puedes afeitar las piernas, pero no te pienso decir dónde guardo las maquinillas de afeitar.

—De acuerdo.

Aprieto los dientes. Eso es lo máximo que voy a conseguir. Es todo lo que me va a conceder, pero es mejor que nada.

Cuando mi madre sale del comedor me llevo los dedos a la muñeca, a ese punto donde está el pulso, y me recuerdo que no soy la única que está sufriendo por mi recuperación. Debe de ser duro para ella sentirse tan impotente. Y por muy frustrante que a mí me resulte su actitud protectora, si eso la hace sentir mejor, supongo que tendré que aprender a llevarlo. Yo tengo mi forma de superarlo. Supongo que esta es la suya.

Vuelve al comedor y me da una maquinilla de afeitar de color rosa brillante con lo que parece un seguro a prueba de martillos. Me trago el comentario sarcástico y le doy las gracias en voz baja.

Cuando entro en el cuarto de baño me tiemblan las manos. Dejo la maquinilla de afeitar junto a la bañera y me siento en la tapa del váter para centrar mi atención en el bote de espuma de afeitar. Me concentro en los movimientos que estoy haciendo en ese momento sin pensar en los que haré a continuación.

Grifo. Agua. Piernas.

Porque por muy segura que me sintiera hace dos minutos, y por muy valiente que me mostrara delante de mis padres, estoy asustada. Me asustan las sensaciones que tengo.

Durante mucho tiempo fue mi única forma de vivir. Cortarme era mi escapatoria, la forma de superar el dolor. El dolor desaparecía con la sangre, goteaba tras el pinchazo y se marchaba. Pero ahora tengo otras formas de superar el dolor.

Otras formas que todavía no comprendo del todo. Otras formas que todavía estoy aprendiendo.

Y esa incertidumbre me asusta, porque sé lo fuertes que pueden llegar a ser mis impulsos.

Me pongo un poco de espuma de afeitar en la mano y me la aplico sobre las piernas mojadas masajeándome las pantorrillas y las rodillas. Cuando ya tengo las piernas blancas, me enjuago las manos bajo el agua del grifo y cojo la maquinilla de afeitar.

Poso los dedos sobre el seguro. ¿De verdad estoy preparada para esto? ¿Mi madre tenía razón? ¿Todavía estoy tan hecha polvo que ni siquiera me puedo afeitar las piernas?

¿De verdad soy lo bastante fuerte como para mantener los demonios a raya? ¿Para resistirme al impulso de ver correr mi sangre?

Mis dedos toman la decisión por mí: agarran el seguro y tiran de él. Inspiro hondo mientras apoyo el pie en el lateral de la bañera y pongo la cuchilla de la maquinilla sobre la piel. Cuando empiezo a deslizar la maquinilla de afeitar me mareo, pero no sé a qué se debe.

¿Es por miedo? ¿Por el impulso? ¿Por la posibilidad y la convicción de que podría sacarlo todo y dejarme ir?

Miro fijamente la cuchilla, como si pudiera conseguir que se comportara con solo mirarla fijamente. Como si la cuchilla fuera la culpable de todo. Como si no hubiera cogido nunca una maquinilla de afeitar ni me la hubiera pasado por la piel. Como si no hubiera sido yo.

Afeitar. Aclarar. Afeitar. Aclarar. Afeitar. Aclarar.

Observo con atención los movimientos que voy haciendo sobre la pierna derecha, mi mirada es más estricta que la de una madre que contempla a su hijo después de que el niño le haya hecho garabatos por las paredes recién pintadas. Cambio de pierna mientras hago los ejercicios de respiración que me enseñó la doctora Hausen antes de darme el alta.

Tragar saliva. Afeitar. Aclarar. Inspirar hondo. Afeitar. Aclarar.

Cuanto más tiempo paso con la maquinilla en la mano, más insegura me siento. ¿Qué haré con ella después? ¿La tiraré a la basura? ¿Se la daré a mamá para que se deshaga de ella? ¿La limpiaré y la dejaré en el lateral de la bañera?

Se convierte en un grito atronador en lugar de en un suave susurro. Aprieto la maquinilla con fuerza mientras intento respirar con suavidad y me esfuerzo por no dejar que me supere la ansiedad. La ansiedad provoca depresión. La depresión provoca dolor. El dolor provoca...

Un arañazo en mi tobillo. Es un corte diminuto, apenas perceptible. Lo sé sin necesidad de mirar. Noto el picor, la quemazón roja de la sangre mezclándose con el aire.

El dolor provoca sangre.

Vuelvo a apretar la maquinilla y me agarro al toallero con la mano que tengo libre. Me estremezco al sentir el diminuto reguero de sangre que resbala por mi tobillo hasta deslizarse por la curva del pie.

Los cortes pequeños siempre son los que más sangran.

Recuerdo la primera vez que me hice sangre. La noche se proyecta ante mis ojos, y luego recuerdo por qué lo hice. Es la única pregunta que no era capaz de contestar. El motivo. ¿Por qué me corté? ¿Qué me empujó a hacerlo? La abrasante pregunta que me persigue, a mí y a mi privilegiado mecanismo de superación.

El mecanismo de superación que empezó con un corte en el tobillo.

Habíamos discutido sin parar. Durante horas, por lo visto. Un forcejeo constante, como siempre que él necesitaba una dosis. Esa vez yo quería que lo dejara. Le prometí que le ayudaría, que estaría para lo que necesitara. Él me dijo que lo único que necesitaba era la droga y que lo que podía hacer yo era conseguírsela.

Me negué. No era su criada, era su novia y estaba decidida a ayudarle. Yo sabía que, en el fondo, aquel no era Pearce. Yo conocía al verdadero Pearce y sabía que estaba enterrado bajo todo el dolor y la adicción. Yo sabía que el verdadero Pearce estaba destrozado y que no había superado la muerte de su madre.

Pero él no estaba de acuerdo. Llegó a su límite. Yo ya tendría que haber aprendido a darme cuenta de cuándo debía marcharme, a correr lo más rápido que pudiera y a alejarme todo lo posible de él. Sabía que cuando estaba

así, cuando estaba con el mono, era completamente inestable. Yo sabía que lo único que le importaba era la
droga, la que fuera que quisiera ese día, y su única meta
era conseguir más.

Pero nunca me marchaba. Yo me aferraba al recuerdo
de sus momentos de bajón, cuando se pasaba horas llorando en mi regazo. Cuando lloraba hasta quedarse dor-
mido. Y siempre esperaba a que regresara ese chico,
pero no volvió jamás.

No se ponía siempre violento, pero esa noche sí. Me
había empotrado contra la pared al salir del apartamento y me había torcido el tobillo. Mi madre y mi padre se habían marchado a una convención de negocios
en Boston, así que cuando llegué a casa pude ponerme a
llorar. Podía dejar que saliera todo sin que nadie me hiciera preguntas.

Había llorado debajo de la ducha y dejé que las lágrimas se mezclaran con el agua, y luego cogí la maquinilla para afeitarme las piernas. Y fue en ese momento,
con el agua caliente resbalando por mi espalda al agacharme, el pie apoyado en el lateral de la bañera, la
pierna cubierta de espuma de afeitar, y entonces me
corté el tobillo.

Empezó a sangrar de inmediato. La brillante sangre
roja se mezcló con el color blanco de la espuma que me
había resbalado hasta el pie, y la mezcla rosa cayó al
agua. Cayó más sangre, y yo me la quedé mirando hipnotizada. Seguí observándola hasta que mi cerebro re-
gistró el dolor. Un dolor que era más intenso que el que
sentía por dentro. El dulce dolor de la liberación.

Cuando golpeé la cuchilla contra las baldosas para
romper el plástico no pensaba en nada. Separé los trozos
de plástico con facilidad y los tiré al suelo.

La cuchilla estaba fría. Húmeda, pero fría. Pasé el
dedo por el extremo afilado mientras miraba fijamente
la sangre que seguía manando de mi tobillo. Apoyé la es-

palda contra la pared de baldosas y resbalé hasta el suelo. Todavía tenía el pie apoyado en el lateral de la bañera.

Mi mano parecía moverse con voluntad propia: me llevé la cuchilla al pie. Me la apoyé sobre la piel, primero con suavidad, luego imprimí más fuerza. Me temblaba la mano y me mordí el labio para reprimir el sollozo que se me escapó al cortarme la piel. Me brotó un minúsculo punto de sangre del pie. Dejé de mirar la cuchilla y clavé los ojos en la sangre. Dejé de morderme el labio y moví la mano.

Me deslicé la cuchilla con suavidad por encima del pie. El pinchazo, el ardor. Era lo único que sentía. Solo me podía concentrar en eso. El brillo del rojo, la sangre escarlata mezclándose con la claridad del agua. Mezclándose a la perfección con el dolor. Contaminándolo. Destruyéndolo.

De la misma forma que me estaba destruyendo Pearce.

No puedo respirar. Tengo el pecho demasiado apelmazado y un nudo demasiado grande en la garganta. Me estoy mordiendo la lengua con fuerza con la esperanza de que el pequeño dolor se lleve los impulsos que me acechan.

Me tiemblan tanto las manos que se me podría caer la cuchilla, pero la estoy agarrando con mucha fuerza. Recuerdo muy bien el momento en el que me di cuenta de que sangrar me liberaba. No había límites. Me podía cortar una vez, dos, tres veces, seguir sangrando durante un rato, y el dolor físico se llevaba el emocional. Lo eliminaba.

Me gotea un poco más de sangre del pie y se desliza por las baldosas blancas del suelo. Mancha el suelo de la misma forma que manchaba el agua de la ducha aquella primera vez.

Una gotita, un estallido de doloroso color sobre algo tan calmo y tan puro.

«Hazlo. Solo uno. No tiene por qué enterarse nadie. Solo será una vez. Deja que salga el dolor».

Cierro los ojos con fuerza y se me tensa todo el cuerpo. Estoy apretando tanto el mango de la maquinilla que estoy segura de que se va a romper, pero no se rompe. La sigo teniendo entera en la mano.

«Un cortecito. Deja que el dolor salga. Suéltalo».

Niego con la cabeza. A nada. A nadie. Porque sé, o por lo menos lo sabe una parte de mí, que las voces no son reales. Esa voz soy yo. Por muy absurdo que parezca, soy yo. No dejo de contradecirme. Cada voz. Cada susurro. Cada grito.

Siempre soy yo. Siempre ha sido así.

Y puedo plantarle cara.

Suelto la cuchilla, me seco las piernas y camino. Puedo hacerlo.

Pero no lo hago.

Me quedo en el limbo. Temblando, aterrada, llorando. Me resbalan las lágrimas por las mejillas empujadas por la fuerza de mi lucha interior.

No sé cómo describir esa lucha. No hay palabras para expresar la sofocante oscuridad que palpita desde cada ángulo. No tengo palabras para explicar el minúsculo punto de luz que me puede sacar de donde estoy.

Y tengo que recordar esa luz. Ahí es donde quiero estar, en esa luz. La luz es mi objetivo. Siempre es el objetivo.

¿Pero dónde está la luz?

Me pego la barbilla al pecho sintiendo cómo la oscuridad palpita en mi interior. Sé muy bien qué es esa luz. Lo sé, pero no me acuerdo. Aparto la maquinilla de mí para no caer en la tentación. Puedo sentirlo. Puedo sentir cómo el impulso me engulle, ese pinchazo que sigo notando en el tobillo y que es más intenso con cada segundo que pasa.

Y Juilliard.

Juilliard. *Ballet*.

El sueño. El objetivo. La luz.

Juilliard es mi luz.

Y me aferro a esa luz. Me agarro a la luz que encuentro dentro de mi cabeza y tiro la maquinilla a la bañera. Abro los ojos, cojo la esponja y me limpio las piernas, no me importa que una se haya quedado a medias. Ya no estoy llorando. Me pongo de pie, no quiero mirar la cuchilla. Si la miro, me desmoronaré.

Y si me desmorono...

Me tambaleo hasta mi habitación y cojo el iPod. Presiono los botones a ciegas mientras susurro el nombre de Juilliard. Empieza a sonar *El lago de los cisnes* de Tchaikovsky y yo pego la espalda a la puerta, y eso que no recuerdo haberla cerrado. La música tranquilizadora me embriaga, se me mete dentro, y me imagino que soy la princesa cisne. Imagino cada paso, cada movimiento.

Se me acompasa la respiración y me siento. Sin dejar de escuchar. De imaginar.

Hasta que de repente suena la alarma y rompe el silencio. Miro el reloj. Son las cinco y media de la tarde.

Y las cinco y media significa *ballet*.

Significa el sueño. La luz.

Y cuando me levanto para coger la ropa y toco la tela del maillot, me doy cuenta de que eso significa que he vencido al impulso.

He vencido a la sangre.

Estoy en *arabesque en pointe* delante de Blake. Él me rodea por la cintura, justo por debajo de las costillas, y me posa la otra mano en la pierna, por encima de la rodilla. Me inclina muy despacio hacia abajo flexionando una rodilla, y yo flexiono la pierna con la que me sostengo haciendo un *passé* paralelo. Tengo los músculos tensos, la espalda arqueada y miro hacia arriba en busca de sus ojos.

Me sonríe y yo le devuelvo la sonrisa. Me sostiene en esa postura durante un minuto y noto sus manos calientes sobre mi cuerpo, cómo me mira fijamente, y luego me vuelve a levantar con facilidad para dejarme de nuevo de puntillas.

—Levantarte es como levantar una pluma —comenta—. Cuesta creer que tengas los músculos suficientes como para sostener tu minúsculo cuerpo en esa posición durante tanto tiempo y con tanta facilidad.

Yo me pongo otra vez en primera y sonrío.

—Sorpresa.

—Ya lo creo. ¿Intentamos bailar los primeros pasos? ¿Probamos si nos salen bien?

Asiento con la cabeza.

—Claro.

Blake se coloca a mi lado y me pone la mano en el estómago. Luego me desliza los dedos de la otra mano por la espalda y me coge de la muñeca al tiempo que se eleva conmigo cuando me vuelvo a colocar *en pointe*. Intento disimular la tensión que se adueña de todo mi cuerpo cada vez que me toca, trato de esconder la punzada de miedo irracional que me recorre de pies a cabeza.

Se pone a caminar a mi alrededor muy despacio y me empieza a mover al ritmo de la música, estamos ejecutando la *promenade* de nuestra apertura. Yo coloco los brazos en tercera mientras giramos y extiendo el pie derecho en posición *attitude*. Miro fijamente hacia delante, evito a Blake, pero sé que sus pasos son precisos y que los da a intervalos exactos. También sé que lo hace con la misma naturalidad con la que respira. Somos uno en un baile que es algo casi inconsciente para ambos. Sencillamente fluye.

Seguimos con la *entrée*, bailamos juntos como si lleváramos haciéndolo toda la vida. Percibo la conocida sensación que me atrapa cuando me dejo ir y cierro los ojos para dejarme llevar por nuestros movimientos, tanto por separado como juntos. Ahora el contacto con Blake ya no me resulta amenazador. Ahora ya solo puedo sentir el movimiento, y ya no me asusta sentirlo.

Pero la pieza acaba demasiado rápido y vuelvo a estrellarme contra la realidad. Me palpita el tobillo, es como si pretendiera recordarme cómo es la vida en realidad, y se me apelmaza el pecho. Inspiro hondo e intento recordar que estoy a salvo. Que esto es *ballet*. Que Blake no me va a hacer daño, que aquí no me puede hacer daño. Que nadie puede.

Pero no funciona. El pánico crece en mi pecho, es una diminuta bola que se hincha y palpita hasta que se apropia de mi interior, me retuerce y me revuelve el estómago. Mis respiraciones profundas se tornan superficiales y rápidas, me arden las lágrimas en los ojos y me tiemblan mucho las manos. Me ruge la sangre en las venas y eso aumenta las palpitaciones que noto en el tobillo, y se cuela en todos los rincones de mi cuerpo que tienen la marca de mi pasado.

Me arden todas las cicatrices. Me cuesta respirar. Cada vez que parpadeo se me escapa una lágrima.

—Abbi. —Unas manos me cogen de la cara. Unas manos suaves y delicadas—. Abbi. Vuelve, cariño. Respira… No, no. Despacio. Inspira… Uno, dos, tres… Y ahora suelta el aire. Eso es. Otra vez. Inspira… Dos, tres… Ahora, suéltalo… Inspira otra vez… Uno, dos, tres.

La voz de Bianca se cuela por entre la niebla que se arremolina en mi cabeza. Noto sus manos en las mejillas y eso me estabiliza y me va ayudando a salir de mí misma, a volver al presente. Evitan que me siga dejando llevar por el pasado.

La miro con los ojos borrosos. Me sonríe y me posa los dedos en la muñeca.

—Siente. Recuerda —susurra—. Sigues con vida, sigues aquí.

Y es verdad. Me meto los dedos en la manga y me los

pego al pulso. Noto las palpitaciones, aceleradas, y cuento cinco pulsaciones del corazón por cada respiración; los latidos van aminorando hasta que ambas cosas vuelven a la normalidad. Bianca me ofrece un pañuelo de papel y yo me enjugo las lágrimas; entonces me doy cuenta de que estamos sentadas en su despacho.

—¿Un mal día?

Me aparta el pelo de la cara.

Asiento.

—Muy malo. Pensaba que quizá la clase me ayudaría, pero por primera vez no ha sido así.

—¿Qué ha sido lo que lo ha provocado?

—Yo… no lo sé —le contesto en voz baja mirando por la ventanita que hay detrás de su escritorio—. Llevaba semanas sin tener ningún ataque, normalmente noto cuándo se acercan y puedo prevenirlos, pero este me ha sorprendido. Ha aparecido tan de repente que no me he dado cuenta hasta que ya era demasiado tarde.

Bianca asiente despacio.

—Llama a la doctora Hausen y cuéntaselo, Abbi. Ya sé que no quieres hacerlo, pero tienes que descubrir por qué ha sucedido y por qué no has conseguido detenerlo.

—Ya lo sé. —La miro—. ¿Me puedo marchar antes? ¿Por favor?

Me coge de la mano.

—Pues claro.

Cuando Bianca se marcha llamo a papá para que me venga a buscar. El tiempo que pasa hasta que me manda un mensaje para decirme que ya está fuera, se me hace eterno. Cuando llega, cojo las cosas que me ha traído Bianca y me marcho de la escuela. Papá no me hace preguntas cuando me subo al asiento trasero del coche. Me pego las rodillas al pecho, las abrazo con fuerza y miro por la ventana mientras el coche se aleja del edificio de ladrillo rojo.

Blake

—¡**M**ierda!

Es la quinta vez que se me cae la cuchara esta noche.

—¿Te has lavado las manos con mantequilla antes de venir, o qué, chico? —aúlla Joe.

—Eso parece —rujo agachándome a recogerla.

La lanzo al fregadero y cojo una limpia del estante. La sartén que tengo en el fuego empieza a burbujear con rabia y corro hasta los fogones para descubrir que el arroz que estaba cocinando se me ha pasado.

—Mieeeeeerda —siseo apagando el fuego y cogiendo la sartén por el mango. Vacío el contenido en un colador que tengo en el fregadero. Hay un centímetro de arroz pegado en el fondo. Me desinflo y me golpeo la cabeza contra la nevera.

Con fuerza.

Joe me pone la mano en el hombro.

—Mira, Blake, no sé lo que te pasa esta noche, pero quizá sea mejor que salgas un poco antes. Para ser viernes está todo bastante tranquilo y, de todos modos, solo falta una hora para que acabes tu turno.

—No. —Niego con la cabeza y cojo un estropajo para limpiar la sartén—. Estoy bien, chef. En serio. Terminaré mi turno.

—Hijo. —Me estrecha el hombro—. Vete a casa. No tiene sentido que te quedes aquí a darte golpes cada vez que cometas un error. Intenta dormir bien esta noche y vuelves mañana a la hora de comer, ¿de acuerdo?

Suspiro, suelto el estropajo y asiento.

—Está bien.

Me da unas palmaditas en la espalda y se adentra en la cocina gritándole a Matt. Me quito la ropa de cocinero, la meto en la bolsa y salgo volando del restaurante.

Fuera el aire de la noche es frío e inspiro profundamente muy agradecido. Camino muy despacio de vuelta a casa, tengo la cabeza en las nubes. La luz menguante no me molesta mientras deambulo por las calles de Brooklyn. No veo a nadie ni nada de lo que me rodea.

Solo puedo pensar en un par de ojos azules: muy abiertos, agitados. Solo veo el miedo y la confusión que brillaba en ellos, que los nubló hasta que apenas eran reconocibles. Lo único que me importa es que ella esté bien.

Y no me ayudó nada que ayer Abbi no estuviera en clase. Porque Bianca se limitó a hacer un gesto con la cabeza con tristeza cuando le pregunté dónde estaba. Porque en lo más recóndito de mi mente, yo reconocí el miedo que brillaba en los ojos de Abbi. Reconozco el pánico, las lágrimas preñadas de dolor que resbalaban por sus mejillas, el temblor desgarrador que la estremecía cuando la llevé en brazos hasta el estudio de Bianca.

Y los sollozos. Reconozco esos sollozos desgarradores porque eran iguales que los de mi hermana.

Cuanto más tiempo pasamos juntos, más cosas de Tori veo en Abbi. Pero también veo algo que Tori no tenía, una chispa. Un chispa que se aferra a un sueño.

Pero ayer… ayer esa chispa no estaba. Toda la luz del cuerpo de Abbi desapareció de repente. Era una persona diferente, ya no brillaba ninguna diversión en sus ojos, no había ni rastro de sus sonrisas, sus comentarios sarcásticos desaparecieron. Las sombras que se escondían en las oscuridades de sus ojos, se la llevaron del todo.

Igual que le pasaba a Tori.

No tengo ni idea de por qué se desmoronó Abbi; lo único que sé es que quiero averiguarlo. Quiero saber por qué se derrumbó, por qué alguien con una fuerza tan silenciosa tuvo ese momento de debilidad. Y quiero ayudarla. Esa chica es tan adorable que no puedo evitar sentirme atraído por ella, no puedo evitar desearla.

Quiero cogerla de la cintura cuando se pierde en el baile. Quiero hacerla girar mientras ella está de puntillas hasta que ya no sepa donde está. Quiero levantarla por encima de mi cabeza y bailar con ella por todo el escenario con tanta elegancia que piense que está volando.

Quiero coger esas lágrimas y ese dolor y convertirlo en sonrisas y felicidad.

Puede que ese sea el motivo por el que, en cuanto llego a mi apartamento, me ponga un jersey y unos vaqueros, y la llamo sin tener ni idea de lo que le voy a decir.

—Hola —digo con suavidad cuando ella contesta.

—Hola.

—Ayer no viniste a clase y quería saber si estás bien.

—Yo... —Se hace el silencio y yo trago saliva mientras espero su respuesta—. Ya sé que se está haciendo tarde, pero se me ha ocurrido otro sitio de Brooklyn que quiero enseñarte si quieres.

Soy consciente de que está evitando mi pregunta, pero una parte de mí alberga la esperanza de que quizá se muestre más comunicativa una vez estemos cara a cara.

—Creo que podré soportarlo. Siempre que no volvamos a quedar en el Whole Foods.

—No... Nada de Whole Foods. Te lo prometo.

Si no la conociera juraría que estaba sonriendo.

—Entonces, ¿dónde?

—En Brooklyn Promenade.

Y

Cuando me bajo del taxi veo el paseo por primera vez. Al otro lado de East River se ve el contorno de Lower Manhattan, el telón de fondo perfecto para la puesta de sol. Me quedo allí parado un momento y observo en silencio los tonos dorados que se arrastran por un cielo salpicado de rascacielos. A mi derecha queda el puente de Brooklyn, que se extiende sobre el río, y no puedo evitar preguntarme si estaré disfrutando de una de las mejores vistas de este lado del Atlántico.

Dejo de mirar el puente y me centro en el paseo. Hay bancos repartidos a lo largo de todo el paseo, están intercalados con árboles y farolas que proyectan una luz tenue. Hay parejas, familias y grupos de amigos paseando, y veo gente sentada en los bancos. Todos se ríen y bromean, y yo paso por entre los bancos en busca de Abbi.

La encuentro a bastantes metros de la gente que hay por aquí. Está sentada en el respaldo de uno de los bancos y tiene los codos apoyados en las rodillas. Tiene el pelo echado hacia un lado, por detrás de la oreja, y, mientras me acerco veo perfectamente su perfil mientras ella contempla la ciudad.

—Es preciosa, ¿verdad? —me pregunta volviéndose hacia mí.

—Sí —le contesto sin dejar de mirarla—. Ya lo creo.

Ella se me queda mirando antes de apartar la vista.

—Este no parece un buen sitio para esconderse.

Me subo yo también al banco y me siento en el respaldo igual que ella.

—A veces el mejor sitio para esconderse es el más evidente. —Me mira de reojo; la brisa la despeina y se atusa el pelo—. ¿Cuántas de las personas con las que te has cruzado hoy crees que se estaban escondiendo de algo?

—Ya lo pillo.

Asiento.

—Vengo aquí para recordar que la vida sigue adelante. Esto siempre está a tope; el paseo siempre está lleno de gente, el puente de Brooklyn siempre está lleno de coches, y Nueva York siempre está viva. Y a veces tu mundo sencillamente se para, ¿sabes? Y entonces es cuando necesito recordar que la Tierra sigue girando.

No contesto, me quedo mirando la puesta del sol. Los edificios de Manhattan empiezan a iluminarse uno a uno. El sol desaparece tras el brillo procedente de los edificios, que se refleja en el agua y en el cielo. El cielo de la ciudad se viste de distintas tonalidades de naranja, rosa, malva y azul a medida que la luz artificial se va mezclando con la natural, creando un paisaje que estoy convencido de que no se puede admirar en ningún otro sitio del mundo.

No contesto ni siquiera cuando la oscuridad de la noche se traga el cielo salpicado de colores. Desde aquí no se ven las estrellas, la ciudad ha engullido su luz.

—Querías saber si estoy bien —dice Abbi colándose en mi ensueño—. No sé cómo contestar a eso. A veces sí y a veces no. A veces ni siquiera sé quién soy.

Aguardo a que continúe y observo cómo juguetea con un mechón de su cabello.

—Hace un año me diagnosticaron depresión. No se lo suelo contar a nadie, pero después de lo del martes, creo que tienes derecho a saberlo.

—No tienes que explicarme nada.

—No, sí que debo hacerlo. Por lo menos, mereces saber esto.

Inspira hondo y por fin se decide a mirarme a los ojos. Su mirada azul es clara y sincera, y en ella solo se adivina una minúscula mancha de miedo. Aunque no sé de qué tiene miedo. Solo sé que veo ese miedo.

—No sé lo que pasó el martes. Los ataques de pánico… son algo que va ligado a la depresión y siempre hay algo que los provoca. Normalmente percibo su aparición y puedo detenerlos antes, puedo luchar contra ellos, pero el martes no pude. Llevaba varias semanas sin tener ninguno, y no tengo ni idea de qué fue lo que provocó el último. Supongo que tuve suerte de que me ocurriera en un sitio donde había alguien que sabía cómo tranquilizarme.

Me rasco la nariz recordando lo rápido que reaccionó Bianca.

—Bianca enseguida controló la situación y me pidió que te llevara a su despacho. Nadie se dio cuenta, ella no quería que te vieran los demás.

—Gracias —susurra—. Por sacarme de la clase.

—No hay de qué. De verdad. —Nos sonreímos—. ¿Te puedo preguntar una cosa?

—Adelante. Pero no te puedo prometer que vaya a contestar.

—La próxima vez que conozcas a un tío, avísale, ¿quieres? Me diste un susto de muerte. Llevo días pensando que debo de ser un bailarín pésimo.

—Ahí está. Debió de ser por tu forma de bailar. ¿Por qué no se me había ocurrido antes? —Niega con la cabeza—. Tendré que hablar con Bianca para pedirle que me busque otra pareja.

Esbozo una sonrisa de medio lado, me alegra ver otra vez esa luz en sus ojos.

—Cállate —murmuro.

Abbi reprime una sonrisa.

—Me apetece mucho un helado. Vamos a comprar uno.

—¿Te has dado cuenta de que son casi las nueve de la noche?

La miro alzando las cejas.

Ella se encoge de hombros y se baja del banco de un salto.

—Nunca es demasiado tarde para un helado. Especialmente para uno de Holly's.

—Claro —murmuro levantándome—. Una heladería abierta a las nueve de la noche. Condenados estadounidenses.

—Te he oído, maldito británico —contesta Abbi tratando de aguantarse la risa—. Que una heladería esté abierta a las nueve de la noche es perfectamente normal. Por lo menos para Holly's. La verdad es que no sé qué horarios tienen en otras heladerías.

Niego con la cabeza: me lo estoy pasando muy bien. La sigo y nos alejamos del paseo dejando atrás el brillante contorno de la ciudad. Me doy cuenta de que ella va deslizando la mano por los arbustos al andar, y me pregunto si será una de sus manías. También lo hizo en casi todos los arbustos y árboles que nos cruzamos en Prospect Park.

Observo cómo coge una hoja y la rompe para después repartir los trocitos por el suelo.

—¿Qué te había hecho esa hoja? —le pregunto poniéndome a su lado.

Me mira.

—Se había puesto en medio.

—¿Y el pavimento merecía quedar lleno de trocitos de hoja?

—¿El pavimento?

Sonríe.

Me paso la mano por la cara.

—El pavimento. El lugar por donde estamos caminando. Ya sabes, el camino pavimentado.

—Ah, te refieres a la acera.

Me la quedo mirando.

—¿Por qué lo llamáis así?

Abbi resopla y se para delante de la heladería Holly's.

—No tengo ni idea, yo no me inventé la palabra. Ya te dije que no es culpa mía que los británicos no sepáis hablar.

—No pienso volver a discutir sobre esto. —Abro la

puerta de la heladería y la invito a pasar primero—. Y menos cuando todavía estoy intentando comprender por qué querría alguien comerse un helado a las nueve de la noche.

—No tienes que entenderlo. Solo tienes que hacerlo. El helado sabe mejor a esta hora de la noche.

—Está bien. Confiaré en tu palabra.

Observo los nombres que hay escritos en las pizarras que cuelgan por encima del mostrador y luego me quedo mirando los congeladores que tengo delante. Y me quedo boquiabierto. No había visto tantas clases de helado en mi vida, y no tengo ni idea de cómo se llama ninguno de los nombres de la pizarra.

—Nunca habías estado en una heladería estadounidense, ¿verdad? —me pregunta Abbi con una voz que me da a entender que piensa que no tengo remedio.

Y estoy empezando a creerla. Es evidente que Londres me ha estado ocultando muchas cosas.

—Ni una sola vez.

—Ya me había parecido que había oído tu voz. —Una joven, de poco más de treinta años, sale de detrás de una cortina y le sonríe a Abbi. Lleva un delantal en la cintura y se limpia las manos en la tela mientras pasea sus ojos marrones entre nosotros—. Vaya —murmura mirando a Abbi—. Este acaba de llegar, ¿verdad?

Abbi asiente.

—Sí.

—Ya decía yo. Parece más perdido que un pingüino en un desierto. ¿Qué le ponemos, Abbi?

—Estaba pensando en un helado de chocolate con frutas y nueces. Tamaño doble. Con extra de *brownies*. —Hace una pausa y luego asiente—. Sí, ese.

La mujer —que imagino que es Holly—, sonríe.

—Estoy de acuerdo. Siempre es un buen comienzo. ¿Y tú tomarás un Rainbow Splash?

—Ya lo creo.

Abbi se vuelve hacia mí sonriendo.

—Me encantaría tomar ese helado especial de chocolate, gracias.

Intento parecer indignado, pero fracaso miserablemente.

—¿Lo ves? Sabía que te gustaría. —Cruza bailando el establecimiento, se sienta en uno de los taburetes que hay junto a una mesa redonda y se vuelve hacia mí—. A todo el mundo le encanta el especial de chocolate.

Yo la sigo y me siento delante.

—¿Y por qué no has pedido uno tú también?

Holly nos sirve dos copas de helado. Una de ellas está compuesta por capas de vainilla y chocolate, y encima lleva *brownies* de chocolate, salsa de chocolate y virutas de colores. El otro es una mezcla con lo que diría que son todos los sabores de helado que Holly tiene en los congeladores con varias capas de salsa de fresa y *toffee*, y salpicado de trocitos de galleta y de chocolate, y un bote entero de virutas.

—Qué rápido —le digo.

—Llevo sirviendo helados desde que tenía quince años —contesta Holly—. En esta ciudad no hay nadie capaz de batir el helado más rápido que yo.

—Ni mejor —añade Abbi chupando la cuchara.

Holly le guiña el ojo.

—Disfrutadlo.

Se da media vuelta y regresa a la trastienda.

—Y contestando a tu pregunta… —Abbi me da un puntapié por debajo de la mesa—. Si hubiera pedido un especial de chocolate, no habría podido hacer esto.

Se inclina hacia delante, hunde la cuchara en mi copa y coge un buen montón de helado y *brownie*. Se come mi helado antes de que yo pueda siquiera rechistar y veo cómo se le forman un montón de arrugas alrededor de los ojos.

—Pues me alegro de que no lo hayas hecho —le contesto haciendo girar la cuchara entre los dedos—. Porque es una gran idea.

Meto la cuchara en su helado, pero lo único que saco son un montón de virutas y apenas un pedacito de helado.

Abbi se ríe con muchas ganas tapándose la boca con la mano para sofocar sus carcajadas. Yo me paso la lengua por los dientes mientras observo mi cuchara con impotencia, e intento no sonreír mientras oigo sus carcajadas. A pesar de toda la tristeza que lleva dentro, tiene la risa más ligera y alegre que he oído, y me resulta casi imposible reprimir las ganas de ponerme a reír con ella.

La miro. Se ríe con los ojos cerrados. Cuando los abre puedo contemplar su brillante color azul. Clavo la cuchara en mi helado con actitud infantil, saco una buena cucharada y me la meto en la boca.

Y enseguida comprendo que había ignorado lo frío que está el helado.

Cuando me lo trago se me abren los ojos de par en par. Abbi frunce los labios y le vuelven a temblar los hombros de risa.

—Parece que tienes por costumbre hacer el gañán —comenta.

Me limpio un poco de helado de la comisura del labio.

—Me parece que es culpa tuya.

—¿Y eso es bueno?

Yo ladeo la cabeza y observo cómo lame la cuchara.

—Mientras no lo hagas cuando estemos bailando... Sonríe.

—Creo que podré controlarme.

—Por cierto... —la señalo con la cuchara—, tienes helado en la boca.

Se limpia los labios con los dedos, se los mira y luego me mira.

—No es verdad.

Entorna los ojos.

Sonrío y le robo otra cucharada de helado. Esta vez consigo llenarla de helado, y le saco la lengua a Abbi. Ella esboza media sonrisa mientras me mira. Yo alterno la mirada entre ella y la cuchara, y muevo la cuchara, muy despacio, en su dirección. Ella abre la boca, cierra los labios alrededor de la cuchara y se come el helado.

—El robo ha sido completamente absurdo —digo mirando la cuchara vacía.

—Oh. Espera. —Alarga la mano y me la quita. Me sonríe y saca la lengua. Lame la cuchara hasta llevarse hasta el último resto de helado, y yo no puedo concentrarme en otra cosa que no sea esa lengua rosa que se oculta tras unos labios más rosas todavía. Me vuelve a dejar la cuchara en la mano—. Me había dejado un poco.

Cojo bien la cuchara.

—Ajá.

Abbi

*T*oco la tela del vestido rojo. La falda llega a la altura de las rodillas y tiene unas mangas largas de encaje. Contemplo el escote barco y el corsé de encaje con un cinturón negro en la cintura y la sencilla falda plisada. Quiero este vestido, con todas mis fuerzas. Pero me preocupan las mangas.

Hace mucho tiempo que solo llevo mangas largas y opacas que me esconden la cara interior de los brazos. Las cicatrices blancas quedan ocultas, es el secreto que le escondo al mundo. Y el problema de las mangas de este vestido es que tienen agujeros. Son diminutos, no son lo bastante grandes como para poder ver las marcas que tengo en la piel pálida, pero siguen siendo agujeros.

—Pruébatelo —me anima mamá por detrás—. Es un vestido precioso, Abbi. Es de tu estilo. Muy de tu nuevo estilo. Este color combinará muy bien con tu pelo.

—No sé —contesto sin apartar la vista de la manga que tengo en la mano—. La verdad es que no tengo nada con lo que combinarlo. Y no tiene mucho sentido que compre algo que se va a quedar encerrado en el armario.

Mamá rebusca entre las perchas que tengo a la espalda.

—Si he aprendido algo en los demasiados años que tengo de vida, es que una mujer siempre necesita un arma secreta. A veces es un sencillo vestido negro, pero no hay nada como unos buenos zapatos rojos para conseguir que un hombre se caiga de culo.

—¿Y por qué querría conseguir que un hombre se caiga de culo?

—Pues para que pueda verte los zapatos, cariño.

—Ningún hombre se interesará nunca por mis zapatos, mamá.

—No tiene por qué interesarse por tus zapatos. Pero su vida será mucho más fácil si sabe de antemano qué zapatos serán los que le van a pisotear durante el resto de la relación.

Sonrío.

—Entonces no los necesito —digo casi con tristeza dejando de sonreír al mismo tiempo que suelto la manga—. No me imagino manteniendo una relación en un futuro próximo. Eso si es que vuelve a pasar alguna vez.

Encojo un hombro y mamá me coge del brazo.

—Abigail Jenkins —empieza a decir dándome la vuelta—. Un auténtico y absoluto bastardo no tiene por qué representar a toda la raza masculina. Es posible que todos sean un poco idiotas de vez en cuando, pero Pearce Stevens pertenece a una minoría. Algún día conocerás a alguien que hará que valga la pena dejarse llevar por una de esas relaciones que te cambian la vida. Puede que no sea hoy, quizá tampoco el año que viene, pero ocurrirá. Y cuando lo encuentres, espero que lleves este vestido con un par de taconazos y consigas que se caiga de culo con tanta fuerza que tenga que pasarse una semana sentándose sobre un cojín.

—Mamá…

Pongo los ojos en blanco.

—No. —Me coge de la barbilla y me obliga a mirarla a los ojos—. Tú, pequeña, eres mucho más fuerte de lo que te crees. Lo veo en tus ojos ahora mismo. Algún día encontrarás a un hombre que te ame como mereces, y te tratará como la princesa que siempre decías ser de niña. Puede que este vestido se quede colgado en tu armario un tiempo, pero te lo vas a comprar, y ya te lo pondrás cuando lo conozcas.

Suspiro y vuelvo a mirar el vestido. Mamá tiene razón, tampoco tengo por qué ponérmelo enseguida. Además, para cuando esté preparada para ponérmelo, puede que las cicatrices ya no me importen tanto. Quizá no me controlen tanto como ahora. Puede que los sentimientos y los recuerdos sean tan suaves como la piel cicatrizada.

—Está bien —acepto—. Me lo compraré.

Mamá sonríe, busca mi talla y se lo lleva a la caja para pagarlo antes de que yo pueda siquiera pestañear. Vuelve algunos minutos después con una sonrisa satisfecha y me da la bolsa.

—Gracias —le digo con delicadeza.

—No es la primera vez que te compro un vestido. —Se ríe—. Pero de nada.

—Por el vestido y por conseguir que me lo haya querido llevar.

Mamá me rodea los hombros con el brazo y salimos de la tienda.

—Tú asegúrate de reservarlo para el chico adecuado. Y deja que yo te compre los zapatos.

—Claro. —Me río—. ¿Mamá?

—¿Sí?

Me acurruco contra ella como hacía de niña.

—Gracias. Por estar ahí y no tirar la toalla cuando lo hice yo. Yo no… —Agacho la mirada—. No sé si habría conseguido salir adelante si no te hubiera tenido a mi lado.

—Oh, cariño. —Me estrecha—. No tienes que agradecerme nada. Eres mi niña, y siempre estaré ahí para ti. Nadie debería abandonar algo en lo que cree, y yo creo en ti. Así que gracias por no abandonar a pesar de creer que sí lo hiciste.

Tiene razón. Yo no abandoné, no del todo. No olvidé mi corazón. Si lo hubiera olvidado, todavía seguiría en mi habitación de San Morris.

Me vibra el móvil en el bolsillo de la chaqueta, lo saco y veo que tengo dos mensajes. Uno es de Maddie, que me pregunta por el Guapísimo Chico Británico, y el otro es de dicho Guapísimo Chico Británico, que me pregunta lo que estoy haciendo.

«Estoy de compras con mi madre. Ahora nos íbamos para casa», le contesto.

«He tenido un día horrible en el trabajo. Estoy en la escuela. ¿Te apetece ensayar un rato?»

«Ya estoy en Nueva York, pero no tengo aquí mis cosas. Tardaré una hora en ir a buscarlas y volver. Vaya rollo».

—¿Mamá?

Agarro el teléfono con fuerza.

—¿Sí?

—Me estaba preguntando… ¿Sabes que Bianca nos ha pedido que hagamos un *grand pas de deux*?

—Hum.

—Mi pareja de baile me acaba de mandar un mensaje. Quiere que quedemos para ensayar, pero no tengo aquí la ropa de *ballet*. Me estaba preguntando… Si… Tal vez… ¿Podríamos pasar a buscarlo por la escuela? Así podríamos practicar en el garaje.

Bajo la mirada mientras ella abre la puerta del coche.

—Este es el Guapísimo Chico Británico, ¿verdad?

—Yo… —Levanto la cabeza y me encuentro con su sonrisa—. A veces papá es como un adolescente.

Mamá se ríe.

—Estoy completamente de acuerdo contigo, Abbi. Dile que llegaremos dentro de diez minutos.

Me guiña el ojo y se sube al coche. Yo inspiro hondo mientras me pregunto si me arrepentiré de esto, y le digo a Blake que espere fuera.

—¿Este es el Guapísimo Chico Británico? —pregunta papá cuando le presento a Blake.

—¡Papá! —lo reprendo casi gritando con las mejillas encendidas—. Oh, Dios mío —murmuro.

Blake me mira con la ceja levantada.

—Yo... será mejor que sigas leyendo el periódico, papá. Dios. —Miro a Blake—. Sígueme. —Lo guío por la cocina hasta el garaje reconvertido en aula de baile oyendo las risas estridentes de mi padre—. Enseguida vuelvo.

Corro escaleras arriba, me cambio y vuelvo mientras me hago el moño. Papá sigue riéndose solo en el salón, y yo asomo la cabeza por la puerta y lo señalo con actitud amenazante.

—¡Tú!

Él se ríe con más ganas.

—No lo animes, cariño. —Mamá me da una palmadita en el hombro—. Estoy segura de que enseguida se tranquilizará.

—Es una maldita pesadilla —murmuro.

—Hasta habla como él —jadea papá entre carcajada y carcajada.

Yo arrugo la cara y le tiro a mi padre una cinta para el pelo. Impacta contra el periódico y se cae al suelo. Mamá pone los ojos en blanco, suspira y anuncia que se va a trabajar al despacho. Papá me guiña el ojo y yo sonrío.

—¿Papá?

—¿Qué?

—Gracias.

—Eres consciente de que te acabo de avergonzar, ¿verdad?

Me mira frunciendo el ceño.

—Sí. Pero me ha gustado. Esa es la clase de cosas que haría el padre de cualquier persona normal, ¿sabes? Tú nunca me has tratado como si fuera de cristal, como hace mamá de vez en cuando.

—La normalidad está sobrevalorada. Ahora ve a bailar con tu Guapísimo Chico Británico.

—Blake —le digo por encima del hombro—. Se llama Blake.

—Es lo mismo.

Niego con la cabeza y abro la puerta. Blake está apoyado en la barra con los brazos cruzados y me sonríe en cuanto cierro la puerta.

—Así que Guapísimo Chico Británico, ¿eh?

—Yo nunca he dicho eso —miento dándome la vuelta—. Fue Maddie.

—Estoy empezando a pensar que tenía algún motivo oculto para venir a aquella clase de baile.

—¿Tú ves muchas películas o algo? Porque te equivocas.

—Mmmmm.

Está justo detrás de mí y solo nos separa un susurro. Me trago la burbuja de nervios que me trepa por la garganta e intento relajarme. Él se coloca a mi lado y me posa las manos en el estómago y en la cintura. Yo me sitúo *en pointe*, sé que la danza es la única forma que tengo de luchar contra la inseguridad y los nervios.

Me concentro en la danza en lugar de pensar en el contacto de sus manos en mi cuerpo, separadas de mi piel por una finísima capa de tela. Me concentro en la posición de mis piernas y brazos en lugar de pensar en el sutil cambio del miedo, que se ha convertido en algo que me resulta prácticamente irreconocible. Una emoción que hace que quiera huir y quedarme al mismo tiempo. Una sensación que me da ganas de apartarlo de mí y abrazarlo al mismo tiempo.

Pero no puedo. Siento el calor de sus manos en mi cuerpo y su aliento rozándome la piel. Oigo la pesadez de su respiración, y sé que su corazón late tan rápido como el mío. Y en mi caso no se debe al *ballet*. Cuando Blake está cerca, nunca es por el baile. Siempre hay algo más, algo que tira de mí sin descanso. Tira de mí hacia él y no me deja marchar.

Y me asusta y me emociona al mismo tiempo. Es una emoción de esas que provocan hormigueos en la espalda, aleteos en el estómago y te dejan boquiabierta.

Ejecutamos con facilidad los pasos de nuestra *entrée*, y noto cómo él aminora a medida que llegamos al final.

—Sigue bailando —susurro, aún no estoy preparada para dejar de sentirme así de libre. No quiero que me suelte todavía... Aún no. Quiero alargar esta sensación—. Sigue bailando.

Y me hace caso. Me guía paso tras paso, un giro tras otro, *plié* tras salto. Nos movemos por todo el espacio del garaje y levantamos el polvo de los rincones que yo no utilizo.

Las manos de Blake se separan de mí un segundo, y mi cuerpo se separa del suyo. *En pointe*, hago una pirueta, y sigo girando y girando sin perder el equilibrio y sin marearme. Giro sobre las puntas de mis dedos y bajo los pies una fracción de segundo antes de volver a levantarlos. Levanto la vista mientras giro, y veo que Blake me está mirando. Tiene las piernas separadas, los brazos extendidos y, tras un último giro, lo sigo.

Doy un *grand pas de chat* hacia él con las piernas extendidas mientras vuelo por el aire como si no pesara nada. Pero no me caigo. Apoyo las manos en sus hombros y él me agarra de la cintura para mantenerme suspendida en el aire por encima de él. Me sujeta con seguridad, los brazos no le tiemblan ni un ápice.

Abro los ojos. Nuestras frentes están casi pegadas y nos miramos a los ojos. Tengo la respiración acelerada, igual que él, pero no estoy segura de si se debe al baile o si se deberá al… momento.

No sé si la adrenalina que me recorre el cuerpo se debe al entusiasmo del salto o si los latidos de mi corazón son una consecuencia de las interminables *pirouettes*. En este momento, cuando solo nos separa una brizna de aire, no sé lo que estoy sintiendo.

Quiero creer que la piel erizada que siento en la nuca se debe a cómo nos compenetramos al bailar. Quiero convencerme de que la tirantez que siento en el pecho es por la falta de aliento.

Y quiero creer que deseo que Blake me baje y me suelte. Quiero creerlo con todas mis fuerzas. Pero no me lo creo, no del todo. Porque no me puedo creer algo que no es verdad.

En este momento, ahora que siento la intensidad de sus ojos clavada en mí, no quiero que me suelte.

Al rato —no sé cuanto tiempo ha pasado—, me empieza a bajar muy despacio. Mis pies tocan el suelo y adopto la primera posición justo antes de relajarme del todo. Deja de cogerme de la cintura y yo le quito las manos de los hombros. Inspiro hondo y doy un paso atrás bajando la mirada.

—Me parece que no vamos a necesitar todo el tiempo que nos ha concedido Bianca —dice después de un silencio—. En cuanto el *adagio* nos salga perfecto, claro.

—Puede que tengas razón. —Lo miro—. A Bianca se le da muy bien emparejar a sus bailarines, ¿verdad?

Algo arde en su mirada. Algo que no comprendo. Algo que quiero entender e ignorar a un mismo tiempo.

Algo que desearía no haber visto.

—Sí. Ya lo creo.

—¿Qué pasa si siento cosas que no quiero sentir?

—¿A qué te refieres? ¿A los impulsos, a recuerdos?

—No. —Me paso el pulgar por el labio inferior—. Cosas que en realidad no son… malas. O por lo menos no como esas.

La doctora Hausen se inclina hacia delante y me mira por encima de la montura de las gafas.

—Vas a tener que ser más precisa, Abbi. No te sigo.

—¿Qué pasa si…? ¿Qué pasa si estoy sintiendo cosas que debería sentir cualquier chica de dieciocho años? Por… por un chico.

La doctora sonríe.

—¿Es una pregunta hipotética?

Yo dejo de frotarme el labio y mis ojos contestan la pregunta en silencio.

—Tienes miedo.

Asiento.

—¿Por qué?

—Porque él me hizo daño —digo sin rodeos enterrándome las manos en el pelo y entrelazando los mechones con los dedos—. Me entregué a él por completo y Pearce me destrozó. Me rompió en un millón de trocitos imposibles de recomponer, y luego destruyo también esos pedacitos.

—Pero este chico…

—Blake.

—Blake no es como Pearce, ¿verdad?

Pienso en sus ojos verdes, en su pelo castaño despeinado y en su silenciosa seguridad. En la calidez de sus manos, la seguridad de sus pasos y en la conexión que tenemos como bailarines.

—No. Son como polos, completamente opuestos.

—¿Y entonces de qué tienes miedo?

—Pensé que podía ayudar a Pearce y me equivoqué. Me equivoqué en todo lo que tenía algo que ver con él. ¿Y si me equivoco también esta vez? ¿Qué pasa si me entrego a los posibles sentimientos que empiezo a sentir y me equivoco? Pearce por poco me mata. Si no hubiera aparecido Maddie y hubiera llamado a la ambulancia, estoy bastante segura de que ahora estaría muerta. De hecho, estoy convencida. He visto los informes. Sé que si no me hubiera desmayado por culpa del dolor, y hubiera seguido cortándome, habría muerto más deprisa. ¿Y si vuelve a pasar?

—¿Tú quieres que vuelva a pasar? ¿Quieres volver a ese día?

—No —le contesto automáticamente y con total sinceridad, luego bajo las manos y las apoyo en el regazo—. En absoluto. Por eso estoy tan asustada.

—¿Crees que Blake te podría hacer daño?

—No pensaba que Pearce me haría daño.

La doctora Hausen chasquea la lengua, se recuesta en el respaldo y se cruza de piernas.

—Yo no te he preguntado eso. Olvídate de Pearce. Tú sabes que ya no puede seguir haciéndote daño. Te he preguntado si crees que Blake te haría daño.

—No. No creo que me hiciera daño.

—En ese caso...

La miro, al fin, y me doy cuenta de que me está mirando fijamente.

—A veces hay que arriesgarse. Cualquier cosa que decidas tiene dos posibles consecuencias: que salga mal y tengas que superarla y seguir adelante; o, que salga bien, y vivas el momento. Cualquiera de las dos opciones te cambiará la vida. Ambas cambiarán tu forma de pensar, y las dos afectarán a las decisiones que tomes durante el resto de tu vida, pero eso no significa que vayan a tomar las decisiones por ti.

»El pasado no controla tu futuro, Abbi. En realidad, tu pasado no tiene por qué tener nada que ver con tu vida si tú no quieres. Y ahora mismo estás dejando que tu pasado tome las decisiones por ti. Estás dejando que te reprima. No puedes comparar un tigre con un leopardo, puede que sean de la misma especie, pero tienen

EL JUEGO DE LA LUJURIA

un aspecto y una forma de actuar completamente diferentes.

—Entonces no debería comparar a Blake con Pearce
solo porque los dos sean hombres.

—Exacto. No te estoy diciendo que debas lanzarte de
cabeza a mantener una relación con Blake...

—Estás diciendo que debería tomar la decisión ba-
sándome en lo que siento y en mis acciones, y no dejar
que el pasado las tome por mí.

—Correcto.

—¿Pero qué pasa si no quiero sentir nada por él?

—La decisión es tuya. Pero piénsatelo bien antes de
elegir. A fin de cuentas, nunca se sabe cuándo puede pasar algo hermoso.

Blake

*D*ebería haberla besado.

Tendría que haberla dejado un poco antes en el suelo, haberle apartado el pelo de la cara, y haberla besado.

Pero algo me detuvo. Vi algo en sus ojos —un recelo, una duda—, y esas emociones me golpearon en el estómago con fuerza y me detuvieron.

Su depresión es mucho más profunda de lo que dijo. No hay que ser ningún genio para darse cuenta: Abbi se esconde, oculta una parte de ella enterrándola debajo de su tristeza.

Igual que Tori.

Pero ¿son iguales? ¿Abbi es igual que Tori? A ella nadie la creía. Yo fui el único que la escuchó, el único que de verdad creyó que le pasaba algo. Mamá lo ignoró, decía que solo era una adolescente intentando llamar la atención; y papá decía que solo eran las hormonas, que se le pasaría pronto. A fin de cuentas todas las chicas de dieciséis años son extremadamente dramáticas, ¿no? Según mis padres, sí.

Pero yo no pensaba igual. Yo era quien se colaba en su habitación por las noches cuando la oía llorar y la abrazaba con todas las fuerzas que podía tener un chico de doce años. Yo era el único que acababa con las camisetas y las sudaderas manchadas de rímel.

Ni siquiera la creía Kiera, que solo era un año menor que Tori. Ella opinaba lo mismo que mamá, que Tori había heredado el gen dramático de la familia. Allie, Laura y Jase eran demasiado pequeños para entenderlo. Bueno, eran demasiado pequeños para darse cuenta siquiera. Estoy seguro de que a mí me habría pasado lo mismo si no hubiera sido porque me pasaba el día entero pegado a ella.

Y aun así nunca llegué a entenderlo del todo. Nunca comprendí del todo lo profundo que era su dolor, lo mucho que le afectaba cada rechazo de nuestros padres, lo mucho que le dolían las cosas que le decían los acosadores que la atormentaban en el colegio. Cada una de esas palabras se clavaba en su espíritu con mucha más profundidad que las cuchillas que ella utilizaba para cortarse la piel. Le afectaban mucho más que cualquier gota de sangre que pudiera verter.

Ni siquiera lo entiendo ahora. No comprendo por qué nunca dijo nada, a mí, a cualquiera. Pero lo odio; odio que sufriera sola, en silencio, y que muriera de la misma forma. Odio haber llegado demasiado tarde.

Cada maldita vez.

Siempre iba un paso por detrás. Siempre llegaba un minuto tarde. Y siempre iba un sueño por delante.

Estoy decidido a no dejar que me pase lo mismo con Abbi. No quiero ir un paso por detrás de ella. Pero tampoco quiero ir un paso por delante. Hace tres semanas que la conozco, lo bastante poco como para recordar la primera vez que la vi en clase. El único sitio donde quiero estar es a su lado.

A su ritmo.

En la sala de baile.

En el escenario.

En su maldita acera en inglés americano.

Me da igual que sean pasos de baile o pasos normales. Si llora, no quiero soltarla cuando termine. Si intenta huir, quiero correr tras ella y alcanzarla. Y si intenta soltarse, quiero conseguir que desista.

Υ

—Tengo la sensación de que paso contigo todo el tiempo que no paso en el trabajo —bromeo mientras abro la puerta.

—Eso es porque no dejas de llamarme —contesta Abbi entrando en mi apartamento; una vez dentro mira a su alrededor—. Estaba pensando en ponerme el pijama y sentarme en el sofá a ver *Ghost*, pero cuando me has dicho que te ofrecías a cocinar no me he podido resistir. En casa de mis padres hoy es la noche de la comida china, y no me va mucho la cocina china.

—¿En serio? —Cierro la puerta—. ¿Cómo es posible que no te guste la comida china?

Se encoge de hombros.

—No sé, no me gusta, no tiene más. Me resulta fácil elegir entre la comida grasienta para llevar o un plato bien elaborado. Al menos eso espero, porque si no, esta visita habrá sido una pérdida de tiempo.

Sonrío.

—Soy cocinero, así que me gusta pensar que se me da bien.

—¿Ah, sí? Y pensar que yo a duras penas sé hacerme una tostada...

—Entonces es un alivio que sea yo quien vaya a cocinar. No podemos planificar una coreografía con el estómago lleno de tostadas chamuscadas, ¿verdad?

—Oye. —Me mira con el ceño fruncido—. Está bien, tienes razón.

Me río.

—Siéntate... bueno, donde quieras. Te puedes sentar en el salón y gritarme, o en la cocina y hablar conmigo allí.

—Prefiero hablar —dice sentándose en una silla de la cocina.

Le sonrío por encima del hombro y cojo un cuchillo

de la tabla de madera que hay en el mostrador. Lo dejo a un lado y coloco el pollo y las patatas en la bandeja del horno.

—¿Qué vas a preparar?

—Pollo de verano.

—Pero el verano todavía no ha llegado, este año se está retrasando un poco.

—Bueno, ya casi es verano. Además, cuando lo pruebes eso te dará igual.

—Engreído —me acusa Abbi con actitud juguetona.

—No, seguro. —Le sonrío al ajo que estoy chafando—. La niñera que tenía a los diez años me preparaba este plato, y cuando cumplí los diez años le pedí que me apuntara la receta para poder cocinarlo yo solo algún día. Yo era muy pesado, porque cada vez que se metía en la cocina siempre me tenía por el medio mirando lo que hacía, así que accedió con la condición de que la dejara en paz. Aunque tampoco especificó durante cuanto tiempo debía dejarla en paz, así que al día siguiente ya estaba «ayudándola» otra vez.

—¿Tenías niñera? Vaya.

—No es tan genial. La verdad es que me habría gustado que mi padre jugara a fútbol con nosotros más de una vez al año.

—¿En qué parte de Londres vive tu familia?

—En Chelsea. —Meto la bandeja en el horno, compruebo la temperatura, y me apoyo en el mostrador—. Mi padre es abogado, trabaja en el bufete de la familia, y mi madre dirige su propia marca de zapatos. Los dos trabajan una cantidad de horas exagerada, así que no les quedó más remedio que contratar a una niñera. Eso significa que todos nos moríamos por estar con ellos.

—¿De verdad? ¿No los veías nunca?

Abbi se inclina sobre la mesa y se apoya la barbilla en las manos.

Niego con la cabeza.

—La verdad es que no. Especialmente cuando papá se dio cuenta de que yo no tenía ninguna intención de seguir sus pasos y convertirme en abogado. Se enfadó bastante cuando decidí que quería ser cocinero. Sus padres son muy anticuados, y creo que mi abuelo le inculcó que la cocina era cosa de mujeres.

Abbi resopla incrédula.

—Y luego te trasladaste aquí. Para bailar.

Esbozo una sonrisa astuta.

—Esa noticia cayó en mi casa como una auténtica bomba. Empecé a bailar cuando tenía cuatro años, pero mis padres lo atribuyeron a que lo hacía solo por imitar a mi hermana mayor, y por eso me dejaron seguir. Está claro que no les hacía ninguna gracia que yo siguiera bailando con doce años mientras mi hermano de ocho era el gran goleador de su equipo de fútbol.

—¿Americano? Ah, te refieres al otro. De acuerdo, entendido. —Abbi sonríe—. ¿Te ayudaron a trasladarte aquí?

Ahora soy yo quien resopla.

—No. No me ayudaron, en absoluto. Cuando acabé la escuela me coloqué como aprendiz enseguida, y he estado ahorrando hasta el último penique desde entonces. Lo he pagado todo yo. Desde que llegué he hablado una vez con mi madre, dos con mi hermano, y no he hablado ni una sola vez ni con mi padre ni con el resto de mis hermanas.

—Vaya. No me imagino pasar tanto tiempo sin hablar con mis padres.

Me encojo de hombros, me vuelvo hacia la tabla de picar y cojo un calabacín.

—Es lo que hay. No se puede decir que mi familia esté especialmente unida. En realidad, el único motivo por el que hablé con mi madre es porque la semana que viene va a venir a cerrar un acuerdo relacionado con sus zapatos.

—Bueno, eso está bien. Supongo que pasaréis un poco de tiempo juntos, ¿no?

—Si cenar con ella el día que llegue cuenta, entonces sí. Por lo visto ese es el único hueco que me puede hacer y, aun así, no le hizo ninguna gracia que me negara a saltarme la clase de baile para quedar con ella.

Abbi guarda silencio mientras yo acabo de preparar la cena, y noto cómo me clava los ojos en la espalda. Me doy la vuelta hacia ella.

—Supongo que lo que dicen es cierto —comenta con suavidad—. El dinero no compra la felicidad.

—No te voy a mentir. De niño me hizo muy feliz, es decir, ¿quién no disfrutaría de los mejores entrenadores y de tener siempre juguetes nuevos? Pero luego crecí y esas cosas dejaron de hacerme feliz. Solo eran eso: cosas. Me di cuenta de que aunque el dinero podía comprar todo lo que necesitaba, no me ayudaría a conseguir todo lo que quería, porque yo solo quería ser feliz. Y las cosas que dan la verdadera felicidad no tienen precio.

Me mira fijamente durante un largo segundo.

—Bueno… —Rompo el silencio—. Esto tardará un rato. ¿Quieres ponerte con la coreografía mientras yo recojo?

—Puedo ayudarte a…

—No, eres mi invitada. Lo haré yo.

—Está bien. ¿En el salón?

—El sofá es cómodo, y, si no, te puedes sentar en una de las sillas de madera. Elige tú.

—Sí… El sofá tiene buena pinta. —Sonríe y se marcha hacia el salón. Se detiene junto a la estantería y desliza el dedo por un marco que descansa sobre la madera—. Es guapa. ¿Quién es?

—Mi hermana Tori.

—Pensaba que erais cinco. ¿Por qué solo tienes una fotografía de ella? —Suspira—. Lo siento. Estoy siendo un poco entrometida, ¿verdad?

La miro y le sonrío con tristeza.

—Hay una fotografía mía con los demás en el alféizar de la ventana, pero yo estaba más unido a Tori.

—¿Estaba? —Abbi guarda silencio un buen rato, y separa los labios cuando se da cuenta de a qué me refiero—. Oh. Te refieres a…

—Murió hace nueve años.

Dejo la tabla de picar sobre el mostrador y miro por la ventana de la cocina. Oigo los pasos de Abbi cuando cruza la cocina y luego noto cómo me toca la espalda con delicadeza y me apoya la cabeza en el brazo.

—Lo siento. No tendría que haberte preguntado —dice en voz baja.

Yo niego con la cabeza.

—No lo sabías. No hablo mucho sobre ella. Es duro.

Asiente.

—Ya lo entiendo. Más o menos. Me acuerdo de cuando asesinaron a la madre de Maddie, tardó meses en poder hablar sobre el tema. Incluso a mí me costó y también tardé algunas semanas en poder hacerlo. Ya sé que no es lo mismo, pero sí. Por si te sirve de algo, creo que Tori estaría orgullosa de ti.

No le digo lo mucho que significan para mí esas palabras. Si se lo dijera, tendría que contarle todo lo relacionado con mi familia y mi hermana. Y hablarle de aquel día. Tendría que revivir aquel día.

Así que me limito a asentir, me doy media vuelta y apoyo la cabeza sobre la suya durante unos segundos. Abbi no se queda inmóvil ni se pone tensa al sentir el contacto de mi cuerpo como ha hecho tantas veces antes sin darse cuenta. Vuelve la cabeza pegada a mi brazo, y me desliza el brazo por la espalda. Luego inspira hondo y se sienta en el sofá, lejos de mí.

Quiero darme la vuelta. Quiero darme la vuelta, abrazarla y empaparme de su fragancia mientras suelto todo el dolor que me provoca el recuerdo de mi hermana. Pero eso sería demasiado para ella. Así que aunque me mata un poco dejarla sola en la otra punta del salón, me obligo a hacerlo. Vuelvo para ocuparme de limpiar y dejo que ella se ponga con la coreografía.

—¿Tori, por qué sangras? —Solo había entrado en su habitación porque mamá se estaba enfadando porque aún no había bajado a cenar—. ¿Necesitas una venda?

Mi hermana sacó algunos pañuelos de la caja que tenía junto a la mesita de noche y se los colocó sobre el corte que tenía en el brazo.

—No, Blake. Ha sido un accidente. —Señaló los recortes de periódico que tenía repartidos por todo el suelo—. Estoy haciendo un trabajo para clase de arte y se me han caído las tijeras. Acababa de afilar las hojas y me he cortado el brazo sin querer.

—Ah. ¿Te duele mucho?

Intenté mirarle el brazo, pero ella cogió unos cuantos pañuelos más y se bajó la manga.

—No. No me duele. Nada.

—Bien. Mamá quiere que bajes a cenar.

—Bajo dentro de un minuto, ¿de acuerdo?

Sonrió.

—Está bien, Tori.

Le devolví la sonrisa y me di media vuelta.

—Oye, Blake.

—¿Sí?

La miré por encima del hombro.

—No… mmm, no le cuentes a mamá lo de mi brazo, ¿entendido? Ya sabes que soy una patosa. Seguro que se preocupa y me da las tijeras para niños de Laura o algo así.

—No se lo diré. Es como cuando te cortaste la pierna jugando al *hockey* la semana pasada, ¿verdad?

—Exacto —contestó Tori con la voz triste mirándome con sus enormes ojos verdes—. Igual que la semana pasada.

Abbi

—No tenía ni idea de que sabías conducir.

Miro a Blake muy divertida.

—Pareces sorprendido.

—Lo estoy. Un poco. —Mira por la ventana—. Y todavía no tengo ni idea de adónde me llevas ni de por qué he accedido a venir.

—Te aseguro que… valdrá la pena. Te lo prometo.

—Déjame adivinar: es uno de tus sitios preferidos.

Yo sonrío y cambio de marcha.

—¿Cómo lo has sabido?

Lo miro por el rabillo del ojo y solo distingo sus cejas levantadas y su sonrisa.

—Abbi —me dice—. Todos los sitios que me has enseñado eran tus lugares preferidos. El parque, el paseo, la heladería de Holly… Está claro que cualquier lugar al que me lleves también será uno de tus sitios preferidos.

—Pues sí, tengo un montón de sitios preferidos, tienes razón. —Me encojo de hombros—. Te prometo que el que te voy a enseñar hoy te va a encantar.

—De momento has acertado con todos los sitios a los que me has llevado, así que supongo que tendré que confiar en ti. Pero ¿de verdad tenemos que ir después de bailar?

—Trabajas casi cada noche. Y este sitio hay que verlo de noche. Es más mágico.

—¿Me puedes decir ya adónde vamos?

—Pareces un niño. —Me río—. De acuerdo, está bien. Vamos a Coney Island.

—Eso me ayuda mucho, Abbi. De verdad —ruge Blake—. ¿Dónde está y qué es Coney Island?

—Bueno, es una especie de isla.

—Eres una sabionda.

Me río.

—Repítelo.

Me mira con el ceño fruncido.

—¿Que repita el qué?

—Sabionda.

Me paro en un semáforo y lo miro. Está sonriendo y una carcajada silenciosa ilumina sus impactantes ojos verdes.

—¿Por qué?

—Tú dilo.

—Sabionda.

Me vuelvo a reír.

—¿Qué te hace tanta gracia?

Me encojo de hombros al arrancar de nuevo y doblo una esquina para entrar en un aparcamiento.

—Es por cómo lo dices. Me parece que es tu acento, es muy inglés, bien cerrado.

«Un acento que me para el corazón, me deja sin respiración y me provoca una risita descontrolada».

—Creo que debería sentirme halagado por ese comentario.

—¿Y no lo estás?

—La verdad es que no lo tengo muy claro.

Se ríe y nos bajamos del coche. La brisa del mar sopla desde la playa, y yo me subo la cremallera del suéter a pesar de que es junio y el verano le está empezando a ganar la partida a la primavera.

En Brooklyn estoy rodeada de recuerdos del pasado, pero Coney Island es uno de los pocos sitios que no está contaminado por esas reminiscencias sobre Pearce. Aquí soy completamente libre de todo lo que tiene que ver con él. Aquí puedo ser yo, la Abbi que quiero ser.

Quizá ese sea el motivo por el que he traído a Blake. Puede que, inconscientemente, quisiera traerlo a un sitio que no tiene nada que ver con Pearce para saber cómo me siento emocionalmente. Porque lo que sí tengo claro es que siento algo físico.

Cuando me mira noto el aleteo de millones de mariposas en el estómago y, cuando me toca, me dan escalofríos. Cada vez que se ríe tengo que reprimir las ganas de reírme con él.

Pero mis emociones son muy confusas. Frágiles. Volátiles.

Y no estoy segura de que haya alguien capaz de sobrellevar la montaña rusa que significa mi lucha contra la depresión.

—¿Adónde me llevas?

La voz de Blake me saca de mis pensamientos, que empezaban a ser cada vez más oscuros, y me concentro en cruzar la calle en dirección al parque de atracciones. Miro la noria.

—¿En serio? ¿Me estás diciendo que no ves esa noria? —le pregunto incrédula.

—Pues claro que la veo. Es enorme.

—Pues ya está. Ahí es donde vamos.

—¿Me has traído a una feria?

—Más o menos. Y la playa es genial para dar un paseo relajante. A veces necesito descansar hasta de la danza.

Blake asiente despacio.

—Entonces, ¿me estás diciendo que querías ir a pasear a la playa y me has arrastrado a mí también?

—Algo así.

Le sonrío.

—¿Cómo sabes que no tengo otros planes?

—Porque has aceptado venir. —Me paro y me meto las manos en los bolsillos—. Y no conoces a nadie más en Brooklyn.

Entramos en Deno's Park y me da un codazo.

—Cállate. ¿Nos vamos a subir a la noria o qué?

—Podrías haberme avisado de que esa cosa se movía —ruge Blake estremeciéndose.

Me río.

—Es una noria. ¿Por qué iba a ser inmóvil?

—¡Me refiero a las cestas, Abbi! ¡Casi me caigo!

—No seas cagón —bromeo—. ¡Yo soy una chica y lo he llevado mucho mejor que tú!

—Y estoy seguro de que lo has hecho mil veces. En Inglaterra, las cestas de las norias no se mueven. Como debería ser.

Me doy media vuelta, camino de espaldas y le sonrío bajo la luz tenue. Blake se pasa la mano por el pelo despeinado, gesto que lo desordena todavía más, y esboza una sonrisa de medio lado.

—¿Qué?

—Si no dejas de lloriquear, creo que volveré corriendo al coche y te dejaré aquí.

Él alza las cejas.

—¿Crees que si huyeras corriendo no te atraparía?

Me encojo de hombros con aire despreocupado y me adentro en la multitud.

—¿Por qué no lo intentas?

Le arden los ojos y a mí se me acelera el corazón cuando dejo de mirarlo y me empiezo a abrir camino por entra la gente que me rodea. Me burbujea una risita en el pecho y me tapo la boca con la mano para evitar que se me escape. Miro por encima del hombro, pero no lo veo por ninguna parte, así que hago trampas y me escapo del parque en dirección a la pasarela de madera.

Cuando llego al paseo, apenas consigo distinguir mis pasos de los del resto de los transeúntes. Los niños corren de un lado a otro, se ríen y gritan persiguiéndose los unos a los otros, corren en círculos alrededor de sus padres. Esquivo a un par de niños pequeños; lanzan gritos de excitación mientras su padre, que finge ser un monstruo, corre tras ellos.

Por un momento me distraigo recordando al padre de Maddie, que nos hacía lo mismo a ella y a mí mientras corríamos con las coletas al viento. Siempre intentábamos correr hasta la playa para despistarlo, pero nunca nos salía bien y acababa dándonos un revolcón por la arena. Pero eso formaba parte de la diversión, todos sabíamos cómo acabaría, y aunque su padre fingía estar loco, siempre se reía tanto como nosotras. Y nos volvía a perseguir la próxima vez que veníamos al parque.

Sonrío y me invade una agradable sensación cálida. Un recuerdo alegre por una vez, uno que define una parte enorme de mi infancia. Un recuerdo que conservaré siempre.

—Te dije que te cogería.

Me sobresalto y doy un grito llevándome la mano al pecho. Noto las manos calientes de Blake agarrándome por encima de la tela del jersey, y cuando suelto todo el aire que tengo en los pulmones, él se deshace en sonoras carcajadas.

—¡Idiota! —espeto empujándolo por el pecho—. No puedo creer que me hayas hecho esto.

—¿El qué? ¿Asustarte o cogerte?

Sonríe y en sus ojos se entrevé un desafío juguetón.

—Ambas cosas —le contesto llevándome las manos a las caderas sin dejar de mirarlo a los ojos.

Su sonrisa se tiñe de picardía.

—No deberías intentar huir, Abbi.

—¿Y por qué no?

Da un paso adelante y los dedos de sus pies quedan a escasos centímetros de los míos. Yo inspiro hondo sin dejar de mirar esos ojos verdes, donde veo brillar las chispas contradictorias producidas por la seriedad y la broma; esos ojos que me cautivan.

—Porque no puedes huir de alguien que quiere cogerte. Por eso.

Cierro los ojos medio segundo y, en ese espacio de tiempo, parece que el cielo de la tarde dé paso al de la noche. Podría jurar que no estaba tan oscuro cinco minutos antes, pero puede que me equivoque. Quizá lleve allí parada mirando a Blake más tiempo del que pensaba.

—Entonces el hombre que hace el algodón de azúcar del parque debe de estar aterrorizado en este momento —susurro.

Esboza una sonrisa de medio lado.

—Puede que el tío del algodón de azúcar no sea el único que debería estar preocupado.

Se me apelmaza el pecho, una mezcla de miedo y ansiedad bloquean mi habilidad para respirar. La expectativa se cuela en mis emociones y se abre paso por entre los intensos sentimientos de miedo hasta que logro vencerlos. Noto cómo se adueña de todo, cómo se desliza por mi cuerpo hasta llegar incluso hasta los dedos de los pies. Mis labios se separan por voluntad propia, se me seca la boca y me pica al tragar aire.

Blake me mira los labios. Veo la indecisión reflejada en su forma de fruncir el ceño, en el gesto que hace con la boca, en su forma de apretar los dientes.

Hazlo. No lo hagas. Hazlo. No lo hagas. Hazlo. No lo hagas.

En mi interior se desata un torbellino de sensaciones que chocan entre ellas una y otra vez hasta que ya no sé si quiero acabar con esto, abrazarlo, huir de él o quedarme aquí. Quédate aquí. Su cuerpo está mucho más cerca de mí de lo que jamás pensé que permitiría y noto un ardor allí donde él va posando los ojos.

Entonces levanta la mano muy despacio y me pone el pelo por detrás de la oreja.

—Vamos a asustar al tío del algodón de azúcar.

Da un paso atrás y se vuelve hacia el parque antes de que yo le pueda contestar. Me lo quedo mirando unos segundos mientras noto cómo se me relaja el cuerpo y noto una punzada de decepción en lo más recóndito del cerebro.

Me gusta sentirlo. Y me gusta porque ahora ya sé lo que quería saber. Gracias a esa sensación ahora ya sé que siento algo por Blake que va más allá de la atracción física. Ahora sé que este chico se está abriendo paso por entre los muros que tanto me costó levantar.

Más aún, me recuerda lo que es sentir otra cosa distinta al dolor, la culpa y el desprecio por mí misma.

Me apresuro a meterme la mano por debajo del jersey y me busco el pulso en la muñeca. Es fuerte y acelerado.

Y por primera vez después de más de un año, me siento mucho más que viva.

Siento que estoy viviendo.

Corro tras Blake y lo alcanzo justo cuando está a punto de salir otra vez del parque. Lleva un algodón de azúcar en la mano, y, cuando me ve, me lo ofrece.

—¿Dónde está el tuyo? —Cojo el palo—. Gracias.

—A mí no me gustan mucho las nubes de algodón.

—Nube de algodón.

—No. No pienso volver a eso. Otra vez no.

Niega con la cabeza y cruzamos la pasarela en dirección a la playa.

—Venga, va. Por favor. Solo una vez.

Lo miro por entre las pestañas y cojo un poco de algodón del palo, me lo meto en la boca y dejo que se me funda en la lengua.

—Maldita sea —murmura—. De acuerdo, está bien. Nube de algodón. ¿Contenta?

Esbozo una sonrisa traviesa.

—Mucho. Me encanta cómo hablas.

—¿Te encanta o te parece gracioso?

—En realidad es una mezcla de ambas cosas. —Doy otro pellizco a la nube de azúcar rosa—. Pero en el buen sentido.

—Entonces no te importará que haga esto.

Alarga el brazo, coge un puñado de algodón de azúcar y se lo mete en la boca.

—¡Eh! ¡Pensaba que no te gustaba!

—He dicho que no me gusta mucho. No que no me gustara nada.

Se vuelve a acercar y coge un poco más. Yo le golpeo mientras se ríe y él me da una palmadita. Se nos enroscan los brazos, y acabo cogiéndolo del codo con la mano.

Lo agarro del bíceps y, en lugar de apartar la mano, le rodeo el brazo. Él se acerca un poco y nuestros cuerpos se rozan, y yo espero a que se me tense la espalda, a que me invada el miedo. Pero no ocurre ninguna de las cosas que estoy esperando. Lo único que siento al estar tan cerca de él es comodidad.

Cojo el palo del algodón de azúcar con la otra mano, la que tengo enroscada en su brazo, y fulmino a Blake con la mirada cuando me roba un tercer pellizco.

—Para ser alguien a quien no le gusta mucho esto, te lo estás comiendo entero.

—Tengo que empaparme de su sabor. Por lo visto este es mi sabor esta noche.

Yo pongo los ojos en blanco, pero mi sonrisa me delata. Él también sonríe, el gesto es muy cálido, y cuando coge otro pellizco me dispongo a gritarle. Pero en lugar de metérselo en la boca, lo mete en la mía. Saco la lengua y él coloca el algodón rosa encima. Se funde automáticamente.

Blake vuelve la cabeza hacia el mar mientras caminamos lentamente por la arena. La brisa me mece el pelo y suspiro en silencio. Le estrecho el brazo y él me pega un poco más a su cuerpo. Apoyo la cabeza en su bíceps sin dejar de pellizcar el algodón de azúcar y me pregunto qué será lo que tanto habrá cambiado en estas últimas tres semanas.

Pero no tengo que preguntármelo. La verdad es que no.

Ha cambiado algo muy sencillo. Algo muy trivial pero que para mí es muy importante. Algo que jamás pensé que volvería a sentir. Algo de lo que me habría reído hace tres semanas.

Algo llamado confianza.

Porque tal como susurra una vocecita desde el fondo de mi cabeza, yo confío en Blake.

Con el corazón y con el alma.

Estoy mirando fijamente el techo. Es de un color blanco muy limpio. Casi clínico. Y lo único que consigue es recordarme al color blanco de las paredes de mi habitación en San Morris y la austeridad que tanto me esforcé por olvidar cuando volví a casa.

Mis dedos dan un respingo y mis párpados se abren y se cierran rítmicamente. Son las únicas partes de mi cuerpo que se mueven. El resto de mí está completamente inmóvil, y noto cómo empiezo a recordar por qué odio tanto el color blanco.

El blanco equivale a un lienzo vacío. Se puede dibujar cualquier cosa en él y se puede proyectar cualquier cosa, y eso significa que en él se puede ver cualquier cosa. Lo que sea, como una función de marionetas o alguna alocada obra de arte.

O un recuerdo.

Se puede formar un recuerdo y, en lugar de proyectarse tras tus ojos, puedes observarlo en la superficie en blanco que tienes delante. En lugar de quedarse encerrado donde debería estar, se puede liberar; es como una película que se reproduce solo para ti.

Tengo las manos entrelazadas sobre el estómago y, de repente, se tensan. Me arden los ojos y me empieza a palpitar la cabeza justo cuando un recuerdo emerge de las profundidades de mi mente. Me estoy hundiendo, me desplomo en mi pasado, cada vez más y más hondo, me quedo atrapada debajo de su peso sofocante.

Y todo se detiene.

No puedo sentir los latidos de mi corazón. No puedo sentir cómo me sube y me baja el pecho a pesar de estar respirando frenéticamente, a pesar de estar jadeando y atragantándome al tratar de tomar demasiado aire demasiado rápido. No puedo sentir las piernas a pesar de lo mucho que me estoy esforzando por moverlas, y tengo la sensación de que mis brazos no son más que dos pesos muertos que tengo pegados al cuerpo. Estoy paralizada, atrapada en un día muy lejano, delante de una persona en la que confiaba y a la que amaba. Mirando a la persona que me traicionó y abusó de mí de las peores formas posibles. Ante la persona que me fue robando las ganas de vivir un día tras otro.

Es como si volviera a estar allí. Es tan real como el día que ocurrió.

Estoy temblando con tanta violencia como aquel día; estoy tan asustada como entonces. Sigo aterrada bajo aquellos fríos ojos de color verde azulado que me inmovilizaban, y todavía puedo sentir las palpitaciones en el tobillo al caer de espaldas. Puedo oír mi voz suplicándole que parara, que se calmara, que se apartara de mí y respirara un minuto. Puedo oír mi llanto por encima de su voz, mortalmente relajada, esa voz que resultaba más amenazadora que cualquiera de sus gritos.

Y lo peor de todo es que puedo sentir su piel pegada

a la mía. Puedo sentir la tensión de sus dedos agarrándome las muñecas, clavándolas contra la cama, el peso de su cuerpo inmovilizándome contra el colchón, el daño que me hizo al clavarme el pulgar en la garganta para obligarme a mirarlo.

Puedo oír ese susurro áspero amenazándome con total tranquilidad, y oler los restos a cerveza y vodka de su aliento en la cara.

Todavía puedo oír, ver, sentir.

Todo.

Todo lo que pasó.

Con la misma claridad que cuando ocurrió. Está ahí, proyectándose delante de mí, a mi alrededor, encima de mí.

Es real.

Sé que no es verdad. Una diminuta parte de mi cabeza me está gritando que no es real, que no está ocurriendo de verdad, que está todo dentro de mi cabeza, pero la lógica no puede vencer al miedo. No me puedo liberar de las garras de Pearce.

No me puedo deshacer del dolor o de la sensación de suciedad en la piel. No puedo evitar los sollozos o la marea de lágrimas que brota de mis ojos. Y los gritos. No puedo detener los gritos, porque quiero que paren. Más que nada en el mundo. Solo quiero que pare. Necesito que pare. Pero no puedo detenerlo porque no tengo el control.

Lo único que puedo hacer es aguantar. Solo puedo quedarme tumbada aquí observando cómo el recuerdo se proyecta en mi mente y en mi techo. No puedo luchar contra él, no me puedo concentrar en nada más. Es el último recuerdo que tengo de él. El peor. El que acabó con el poco espíritu que me quedaba. Es el que hizo que me desplomara.

Y se para.

Se ha ido. El contacto de sus manos, el olor a alcohol,

la oscuridad que se proyecta tras mis ojos cerrados, ha desaparecido todo.

Y en su lugar siento el cálido abrazo de mi madre, que me mece con suavidad y me susurra al oído con una voz temblorosa y llena de lágrimas que todo irá bien.

Blake

Si las emociones fueran visibles, las de Abbi serían como un cielo que amenaza tormenta. Serían como esas nubes indecisas que no saben si descargar y empaparte hasta los huesos. La frustración que siente cada vez que falla un paso es como un relámpago: rápida, sorprendente y mortal. Su determinación es como un trueno que resuena a lo lejos de vez en cuando.

Y se puede ver esa tormenta reflejada en sus ojos. Puedo ver las nubes pesadas cargadas de lluvia, igual que imagino que sus ojos están llenos de lágrimas contenidas. Las sombras que anidan en su mirada son más oscuras que de costumbre, cada vez son más negras y se apoderan más de ella.

Hace una pirueta a destiempo, se detiene en la barra y la golpea con las manos. La agarra con fuerza y se inclina hacia delante hasta que se toca el pecho con la barbilla. Parece tan indefensa ahí de pie… Tiene la respiración tan acelerada que se le agita la espalda, entonces inspira hondo para tranquilizarse.

Reconozco esa forma de respirar. Lo reconozco todo.

Está teniendo un mal día, uno de esos días en que la depresión le clava las garras y no la suelta. Uno de esos días en que no la deja respirar ni pensar.

Vi la misma actitud en Tori: los pasos inciertos, los giros y piruetas indecisos, la ira abrumadora provocada por algo que debería controlar pero que no puede. Y luego yo la abrazaba cuando se ponía a llorar y lo sacaba todo.

No quiero ver llorar a Abbi. No puedo.

Cruzo la clase vacía —el resto de los alumnos ya hace mucho tiempo que se ha marchado—, y me detengo delante de ella. Tiene los nudillos blancos de agarrar la barra con tanta fuerza y le despego la mano. Ella se estremece como si el contacto conmigo le quemara la piel, y yo inspiro hondo y me recuerdo que en realidad no es ella. No sé qué es lo que se ha apoderado de Abbi ahora mismo, pero no es ella del todo.

La depresión es una locura. Puede apropiarse de la persona más decidida y racional, y convertirla en un ser tembloroso que se pasa el día llorando.

Abbi sigue con la cabeza agachada y está mirando fijamente el suelo. La arrastro en silencio hasta el centro de la clase, los únicos sonidos que se oyen son los que hacen nuestras zapatillas al arrastrarse por el suelo. Me coloco a su lado, le paso el brazo por la espalda y le cojo la barbilla con la mano. Le levanto la cabeza muy despacio hasta que consigo que mire la esquina del aula, y apoyo la mano en su estómago.

Pasan algunos segundos hasta que ella se pone de puntillas. Le tiembla todo el cuerpo y le doy un minuto para que controle el equilibrio antes de rodearla por detrás. No dejo de mirarla ni un segundo, escaneo su perfil, desde su ceño fruncido hasta la mueca triste de sus labios. La hago girar mientras siento cómo se le mueve el estómago al respirar.

Bajo los pies y me aparta. Se deshace el moño y se suelta el pelo mientras cruza la sala con energía. Coge la barra y da un paso atrás para inclinarse hacia delante.

—Abbi...

Ella niega con la cabeza. Su silencio es peor que cualquier palabra que pudiera decir o cualquier sonido que pudiera hacer. Abbi se vuelve hacia mí, el pelo se le descuelga por delante de la cara y se le llenan los ojos de lágrimas, unas lágrimas que sabía que estaba conteniendo. Le tiemblan los labios al tragar, y nunca había visto a nadie tan vulnerable como ella en este momento.

—No puedo hacerlo —dice tan flojo que apenas puedo oírlo—. No funciona. Hoy no puedo bailar. Soy un desastre.

La miro fijamente y el dolor que veo en sus ojos me encoge el corazón. No es un desastre. Puede que sus emociones sí, pero ella no.

—Pues eres un desastre precioso.

Ella vuelve a negar con la cabeza. Es como si las pocas frases que acaba de decir sean lo único que es capaz de articular. Parece que se esté quedando sin fuerzas para luchar. Hoy parece que quiera tirar la toalla.

Se frota la cara con la mano y se pasa los pulgares por debajo de los ojos. Quiero decir algo —lo que sea—, pero no encuentro las palabras. Qué digo, ni siquiera creo que sepa cuales son las palabras adecuadas. Se sienta, apoya la cabeza contra sus rodillas y entrelaza los dedos. Entonces alarga los brazos y, cuando se le suben las mangas, le veo la piel.

Se me para el corazón.

Si hubiéramos estado en cualquier otro sitio no me hubiera dado cuenta. Si hubiera sido cualquier otro día, ni siquiera habría mirado.

Las potentes luces de la clase caen sobre ella y resaltan las finas cicatrices blancas que le cruzan las muñecas. Esas cicatrices que hablan más alto que las palabras, que lloran con más aspereza y abarcan más dolor que cualquier herida.

Pero no puedo dejar de mirar. No puedo apartar los ojos, ni siquiera cuando me transporto de nuevo a la habitación de mi hermana.

Veo las mismas cicatrices en los brazos de Tori, algunas son blancas, otras rosas, algunas siguen siendo rojas. Los golpes, los moretones, los cortes accidentales, en cuanto le vi los brazos lo entendí todo. Pero ya era demasiado tarde. Seguía llegando demasiado tarde.

Me deshago del recuerdo. Abbi me está mirando con los ojos abiertos de par en par. Se da cuenta de que le estoy mirando las muñecas y se levanta a toda prisa, nunca la había visto moverse tan rápido. Se tira de las mangas hacia abajo. Golpea el suelo con los pies cuando corre a por su bolsa.

No. Esta vez no.

Corro hacia ella y me paro delante de ella. Abbi choca conmigo y yo la cojo de los hombros para evitar que huya. Se le escapan las lágrimas e intenta deshacerse de mí agitando los hombros y retorciéndose. Sacude la cabeza, igual que yo, estamos los dos atrapados en un limbo: esperamos, alguno de los dos tendrá que ceder tarde o temprano.

Pero no pienso ceder.

No la pienso soltar.

Ya no es deseo. Ya no es interés ni preocupación por ella. Es necesidad. Necesito saber por qué se hizo eso.

—Suéltame —me suplica—. Por favor, Blake.

Yo niego con la cabeza.

—No. No te soltaré hasta que hables conmigo.

Ella intenta deshacerse de mí con más fuerza.

—¡No hay nada de qué hablar!

—Eso es mentira, y lo sabes.

—No importa. Ya no importa. ¡Ya nada de eso importa!

—A mí sí que me importa.

Ella deja de moverse. Levanta la cabeza, me mira a los ojos y frunce los labios.

—Pues no debería importarte. A mí ya no me importa.

—¿Y entonces por qué las escondes?

—¡Porque las odio! —Se acaba liberando de mis manos y se da media vuelta, da algunos pasos y se detiene—. Las odio, a ellas y a todo lo que suponen. Todo lo que significan. Todo lo que me recuerdan. Las odio.

Las lágrimas le tiñen la voz, tanto las que derrama como las que contiene, y sus hombros suben y bajan cada vez que toma aire. Allí, en medio de la clase enorme, parece minúscula. Y cuando echa los hombros hacia delante, deja colgar la cabeza y se rodea con los brazos, parece total y absolutamente destrozada.

Parece que esté exactamente igual que mi corazón.

Se hace el silencio entre nosotros. Ninguno de los dos dice una sola palabra; yo estoy esperando a que hable ella. Necesito que diga lo que sea. Aunque me diga que me largue, eso servirá, a pesar de que no es eso lo que quiero escuchar.

—Me recuerdan cómo eran las cosas —susurra con un hilo de voz que parece resonar en las paredes—. Son un reflejo de mi vida anterior. De todo lo que no quiero volver a ser. Son horrorosas. Son lo más feo que he visto en mi vida, y no puedo creer que algún día pensara que lo que las provocó era hermoso. Me ensucian la piel de la peor forma posible, y me avergüenzo de ellas. Si hubiera sabido que me iba a quedar atrapada con ellas durante el resto de mi vida, o bien no lo habría hecho o me habría hecho cortes más profundos.

Se le apaga la voz.

A mí se me revuelve el estómago.

—No digas eso. Nunca.

—Es verdad.

Pego el pecho al temblor de su espalda, la abrazo y apoyo la mejilla en su cabeza. La cojo del brazo y le subo la tela del maillot hasta los codos. Cuando le paso el pulgar por la muñeca, ella inspira hondo y cierra los ojos.

Las cicatrices le cruzan la cara interior del brazo y se entrecruzan entre ellas hasta desaparecer por debajo de la manga. Casi no creo lo que estoy viendo, todas han cicatrizado perfectamente, algunas son casi invisibles. Sé que vemos cosas distintas al contemplar sus brazos.

—¿Cuántas? —susurro con la voz apelmazada—. ¿Cuántas hay?

—No lo sé. Puede que cientos. Están por todas partes.

Y me pregunto cómo puede ser que no me haya dado cuenta antes. Siempre va toda tapada. Las demás chicas no llevan medias o se ponen maillots de manga corta, pero Abbi siempre se pone medias opacas o *leggings*, y manga larga. Incluso cuando no está en clase, siempre va tapada.

Le paso el pulgar por el brazo y lo deslizo por encima de las pequeñas protuberancias.

—¿Por qué? ¿Por qué lo hiciste?

—Porque así dejaba de sentir. —Respira y se pasa el pulgar por la piel siguiendo el camino que va dejando el mío—. No importaba cuánto doliera, siempre conseguía dejar de sentir.

—No lo entiendo.

Ella se ríe con tristeza sin dejar de llorar.

—No tienes que entenderlo. Es mejor que no lo comprendas.

Se agarra la manga y tira de ella hacia abajo para taparse el brazo. Yo bajo las manos y ella se aparta de mí.

—¿Y qué pasa si quiero entenderlo?

Abbi me mira con cansancio en los ojos.

—Pues que tendrás que aguantarte, porque no te lo voy a explicar nunca. A ti no.

Frunzo el ceño.

—¿Por qué?

—Porque… —dice con el tono de voz más suave que le he oído emplear jamás—. Tú eres demasiado perfecto para contaminarte con una vida tan desastrosa como la mía. Eres demasiado perfecto para saber nada sobre mis miedos. Nunca me perdonaría si te destrozara tanto como lo estoy yo.

—Tú no estás destrozada, y yo estoy muy lejos de ser perfecto. —La cojo de la barbilla para que me mire y le paso el pulgar por la mejilla. Le limpio una lágrima, pero enseguida aparece otra. Y otra. Y otra—. No tengo nada que ver con la perfección, y aunque fuera perfecto, eso no impediría que quisiera saberlo todo sobre ti. Eso no impediría que quisiera mirarte a los ojos para volver a provocar esa chispa en ellos que tanto me gusta ver. Puede que pienses que eres imperfecta, y quizá tengas razón, pero no hay nada más perfecto que la imperfección. Si me importara la verdadera perfección, me pasaría la vida persiguiendo algo que no existe.

Abbi se estremece y cierra los ojos.

—Todo lo que tú ves como un defecto —tus cicatrices, tus demonios, tu oscuridad—, todo eso es lo que te hace tan preciosa. El único defecto es que no puedas verlo. Pero yo sí. Lo veo cada vez que te miro, y no pienso dejar de incordiarte hasta que te puedas mirar al espejo y verlo tú misma.

Ella se ríe entre sollozos y le ceden las piernas. La cojo y la estrecho entre mis brazos. Le protejo la cabeza mientras los dos nos dejamos caer al suelo. Abbi me coge del maillot, pega la cara a mi pecho, y yo abrazo su cuerpo tembloroso como jamás he abrazado a nadie.

Hago girar la botella una y otra vez. La cara de Tori me mira desde la estantería. La luz del sol ilumina sus ojos verdes y las ondulaciones de sus mechones castaños le enmarcan la cara. Tiene una enorme sonrisa sincera en la cara. Un gesto muy poco habitual en ella, era algo que podía desaparecer tan rápido como una estrella fugaz. A veces tenía miedo de perderme su sonrisa si parpadeaba demasiado despacio.

Ahora tengo una sonrisa permanente. Un recordatorio continuo de la chica que estaba enterrada en lo más hondo de ella, librando una batalla que solo ella conocía de verdad.

El único problema de esa fotografía es que parece casi vacía. Ya hace casi diez años que murió y cada día que pasa, esa fotografía pierde un poco de esa luz que ella tenía. La calidez la ha ido abandonando poco a poco, y ha menguado todavía más desde que me marché de Londres y llegué a Brooklyn.

Por mucho que quiera a Tori, hay una parte de mí que está molesta con ella. Una parte de mí la odia por haberme dejado solo con esto, algo que deberíamos estar haciendo juntos. Una parte de mí no la puede perdonar por haber tomado las decisiones que tomó, y no sé si alguna vez seré capaz de hacerlo. Me sigue doliendo tanto como el día que murió. No creo que deje de dolerme nunca.

Mi teléfono suena desde la cocina, pero no hago ningún ademán de cogerlo. Y suena. Y suena. Y suena. Luego se para y vuelve a empezar. Dejo que salte el contestador por segunda vez mientras hago girar el cuello de la botella, y aprieto los dientes cuando suena por tercera vez. Solo conozco una persona que me pueda llamar con tanta insistencia.

Mi madre.

Voy a la cocina y cojo el teléfono, que está vibrando y sonando al mismo tiempo.

—¿Mamá?

—¿Por qué has tardado tanto en contestar?

—Hola a ti también —le contesto con sarcasmo dejando la botella en el fregadero.

—Esa actitud, Blake —me regaña—. Solo te llamaba para organizar la cena del jueves.

—¿Y no podías esperar a mañana? Es medianoche.

—Aquí no. —Sorbe por la nariz—. Además, estás despierto.

—De acuerdo, está bien.

—¿Has buscado algún restaurante donde podamos comer? Pero donde tú trabajas, no. Ya sabes que soy muy maniática con el pescado.

Y con el resto de las cosas.

—En realidad había pensado en cocinar yo —le contesto.

—Pensaba que tenías clase de baile.

—Y tengo clase. Pero eso no significa que no pueda cocinar, mamá.

—Sería mucho más práctico que saliéramos a algún sitio.

Aprieto los dientes.

—Tengo otra invitada. Alguien a quien quiero que conozcas.

«Siempre y cuando ella quiera venir».

—¿Ah, sí? —El tono de su voz sube una octava, y sé que he captado su atención—. ¿Una chica?

—Sí.

Mamá guarda silencio mientras reflexiona igual que lo hace con cada detalle de su vida. Cenar en un buen restaurante o dejar que tu hijo cocine y te presente a alguien importante para él: no debería ser una elección complicada. Debería aceptar la segunda opción sin tener que pensárselo, pero no espero que lo haga. En realidad espero que insista en el tema del restaurante.

—Está bien —acepta con cierto recelo—. Llámame cuando salgas de clase y estés en casa. Vendré cuando lo tengas todo preparado. Supongo que por comer un día lo que tú cocines no me matará.

—Muy graciosa, mamá.

—De nada. Y ahora vete a la cama. Nos vemos el jueves. Adiós, Blake.

Cuelga antes de que le pueda contestar. Miro el teléfono con el ceño fruncido y lo estampo contra el mostrador preguntándome si habré tomado una mala decisión.

Abbi

La doctora Hausen me mira con expectación y una expresión dulce. Lleva el pelo recogido como de costumbre, pero en lugar de llevar el traje de siempre, hoy lleva vaqueros y jersey. No veo por ninguna parte su sujetapapeles y tiene una taza de café humeante entre las manos.

Por lo menos esta vez no tiene ese maldito bolígrafo tan irritante.

La de hoy no es una de nuestras reuniones habituales. Se suponía que hoy tenía que estar dirigiendo talleres con sus pacientes de San Morris en lugar de celebrar sus visitas habituales y, sin embargo, está aquí conmigo. Ha dedicado una hora del tiempo que tiene libre para arreglar el follón que tengo en la cabeza.

—Bueno, cuéntame más —me dice por fin—. No fuiste muy explicativa cuando me llamaste por teléfono.

Yo inspiro hondo y me subo las mangas. Me apoyo las manos en las piernas para que me pueda ver las cicatrices. Es innecesario, ella ya sabe perfectamente cómo son, pero tengo las palabras atascadas en la garganta. La única forma que tengo de decírselo es enseñárselo.

—Explícamelo —repite—. Aquí no tienes por qué esconderte, Abbi, ya lo sabes. Este es un lugar seguro. Escarba en tu interior y encuentra las palabras para explicármelo.

—Blake... —Trago saliva—. Las ha visto.

—¿Cómo?

Las palabras que estaban atascadas hace solo unos segundos, empiezan a fluir. Le cuento el recuerdo, lo real que fue rememorar ese día que Pearce estuvo a punto de violarme, y le explico cómo me hizo sentir. Le explico que sé que debería haberme quedado en la cama, pero en lugar de hacerlo fui a clase y casi se va todo al traste. Y luego le digo que ya nada tiene sentido para mí, porque Blake no debería haber reaccionado como lo hizo.

—¿Y cómo debería haber reaccionado? En tu cabeza —me pregunta la doctora Hausen—, ¿cuál es la forma correcta de actuar respecto a tus cicatrices?

—Debería haber cogido sus cosas y haberse alejado de mí. Tendrían que haberle horrorizado tanto como a mí, y no debería querer volver a acercarse a mí.

—¿Y qué hizo?

Miro al suelo y recorro con los ojos la cenefa cuadriculada de la alfombra que tenemos a los pies.

—Me abrazó. Me abrazó y se negó a soltarme. Incluso cuando lo empujé, él siguió abrazándome y no me soltó. Me dejó llorar pegada a su pecho, y no me prometió que todo saldría bien. No me hizo promesas que nadie puede mantener.

—¿Qué te dijo?

—Solo me prometió que estaría ahí. Ya está. Lloré más de lo que había llorado en mucho tiempo, y él solo me prometió que estaría allí hasta que ya no me doliera, pero eso es imposible. No podrá estar ahí hasta que deje de dolerme, porque nunca dejará de doler.

—¿Cómo lo sabes?

—Lo sé. Ya sé que no estará ahí siempre, pero una parte de mí quiere creerlo. —La miro—. ¿Es una tontería? Después de haberme pasado dos semanas sin querer creerlo, ahora sí que quiero. Me parece una tontería.

—La última vez me dijiste que confiabas en él hasta

cierto punto. ¿Has pensado que quizá el cambio esté en que hayas empezado a creer en ti misma y en tu capacidad para tomar decisiones? A fin de cuentas, si confías en él, no hay motivo para que no te creas lo que dice, y si te lo crees, no hay motivo para no querer hacerlo.

Me muerdo el labio inferior un segundo y me arranco un trocito de piel con los dientes.

—Supongo que tiene sentido.

—Explícame cómo te sentiste cuando Blake te vio las cicatrices. Cuando te diste cuenta de que ya no eran tu secreto.

Miedo.

Total y absoluto pánico.

—Tuve miedo de tener que explicarlo. De que se enterara de todo y que descubriera que mi depresión era más profunda que mis cicatrices. Tuve miedo de que se enterara de todo lo que me hizo Pearce, de cómo abusó de mí y me corrompió, de que se marchara. Me aterró que se fuera de la sala de baile y yo perdiera a la única persona en la que confío aparte de Maddie. Y luego estaba —y sigue estando— el miedo por mí.

Ese es el miedo más profundo que tengo respecto a Blake Smith. El miedo a que me rompa el corazón si se marcha.

—Por eso no puede saberlo —explico—. Es egoísta e inmaduro, pero cada vez que lo veo tengo la sensación de que me estoy perdiendo un poquito más en él. Es como si me hubiera cogido el corazón y cada vez que bailamos, reímos o jugamos, lo acerque un poco más al suyo. Y nada me aterra más que pensar que me lo podría robar.

—No se marchó cuando te vio las cicatrices. Son la representación física de tu depresión, la forma en que se manifestaron tus sentimientos, y él no se fue. ¿Qué te hace pensar que se marcharía si supiera todo lo que has sufrido?

Miro hacia el cristal y por la ventana abierta se cuela una carcajada. Están todos en el patio esperando a que la doctora Hausen acabe conmigo y, por un momento, quiero irme con ellos. Quiero esconderme del mundo y volver a la rutina que estructuró mi vida durante aquel año. Aquí estoy a salvo y no tengo por qué sentir nada por nadie.

—¿Abbi?

—Pearce se esforzó todo lo que pudo en llegar hasta el final. Si no fuera porque Jake entró justo cuando él estaba a punto de arrancarme las bragas, lo habría hecho. Pero eso no significa que me sienta menos sucia o menos avergonzada. Sigo sintiéndome sucia por eso y por lo que pasó después. Me siento herida. Si Blake se enterara de lo que estuvo a punto de hacerme…

Se me apaga la voz y niego con la cabeza.

—¿Si Blake se enterara…?

—¿Sabes qué? No importa. Blake nunca se enterará. Nadie lo sabrá nunca.

La doctora Hausen deja la taza de café en la mesa que tiene al lado, se inclina hacia delante y se quita las gafas.

—No puedes pasarte la vida escondiendo cosas, no importa lo enterradas que creas que están.

—Pero lo puedo intentar. Siempre lo puedo probar.

La lluvia me tranquiliza. Golpea el cristal de la ventana repetitivamente y rompe el silencio que se ha adueñado de mi habitación. Las gotas resbalan por el cristal y se persiguen las unas a las otras hasta llegar al marco de la ventana. El efecto relajante que me produce es más importante que nunca.

Los últimos días han sido una cadena interminable de emociones. Los recuerdos han sido tan intensos, que más de una vez he ido a mirarme al espejo para asegurarme de que no tenía algún moretón en el cuerpo, de que solo estaban en mi cabeza. Noto cómo vuelvo a caer en la oscuridad, me escurro hacia abajo completamente descontrolada.

Pero sé que todos tenemos un poco de oscuridad dentro.

En algunas personas es evidente, es como una nube pesada que flota sobre sus cabezas y los sigue allá donde vayan. Para otros, como yo, es un susurro silencioso, como una suave brisa de primavera. Siempre está ahí, girando a mi alrededor y hundiéndose en mi piel mientras yo trato desesperadamente de luchar contra ella. Hay muchas formas de describir la depresión, y las he escuchado todas. Y en algún momento también me las he creído.

Un demonio. Un agujero negro. Un abismo vacío. Una garra que te atenaza.

Tienen razón, pero también se equivocan. Cada cual tiene su propia experiencia, su propia forma de luchar, su propia manera de seguir adelante. Por fin he comprendido lo que es la depresión para mí, y en el fondo sé que es el único motivo por el que no he registrado toda la casa en busca de algo afilado.

Para mí, la depresión es la sensación permanente de tener un peso en el corazón. Es una continua mueca de tristeza y la falta de brillo en los ojos. Es el pesado suspiro que se me escapa cuando abro los ojos por la mañana y me doy cuenta de que tengo un nuevo día por delante. Y es ese breve soplo de aire que me recuerda lo fácil que me resultaría acabar con todo.

Pero por cada centímetro de oscuridad, hay uno de luz.

Y esa luz es la que me ayuda a seguir adelante. Es la promesa de un mañana en cada puesta de sol y la certidumbre de una nueva semana en el calendario. Es el sueño de la niña que llevo dentro y que se niega a abandonar. Es ese «y si» que contrarresta cada pensamiento oscuro.

La luz es esa estrella solitaria en medio de un mar de oscuridad. Es el punto al que me siento atraída cada vez. Ese punto del que no se puede escapar.

Hay muchos puntos de luz en mi vida: mis padres, el *ballet*, Maddie... Blake. El problema es que solo tengo dos manos, y eso significa que cada vez que me agarro a uno de ellos, otro se aleja hasta que lo vuelvo a alcanzar. Es un círculo vicioso que no deja de girar.

Eso sí que lo sé. Y eso significa que puedo pelear. Puedo luchar contra la oscuridad que tira de mí, sonreír por entre las lágrimas y encender una luz en la oscuridad. Y, algún día, podré luchar contra ella y ganar. Algún día seré yo quien controle a la depresión y no al revés, y me aferro a ese pensamiento todos los días de mi vida.

Miro el reloj y me doy cuenta de que me tengo que ir, he quedado con Blake. Me encantaría poder quedarme en la cama, acunada por el silencio de la casa, me encantaría poder evitarlo. Pero como necesito verlo para bailar, evitarlo no es una opción, y tengo que comportarme como una chica mayor y enfrentarme a él.

Cuando llego a la planta baja me doy cuenta de que el cielo se ha despejado y decido dejar el abrigo en casa. Voy pisando los charcos que me encuentro de camino al Starbucks. Me muero de ganas de bailar, pero no quiero hacerlo sola. A pesar de lo que está ocurriendo en mi cabeza, mi corazón y mi cuerpo están desesperados por volver a sentir la cercanía y la seguridad que me aporta bailar con Blake.

—Si no te conociera bien, diría que ibas a pasar de largo.

Me vuelvo en dirección a su voz y sonrío.

—Menos mal que me conoces, ¿no?

Esboza una sonrisa y yo cruzo la calle. Está apoyado

contra la pared con las manos en los bolsillos de los vaqueros y me mira fijamente por entre los pelos del flequillo.

—No te vendría mal un corte de pelo —le digo fijándome en cómo se le caracolea por encima de las orejas.

—Hola, Abbi. Estoy genial, gracias, espero que tú también estés bien. Oh, no, no he hecho muchas cosas hoy. ¿Y qué has hecho? Pues lo de siempre: los gritos de Joe, las quejas de Matt, y un montón de gente pidiéndome más platos de pescado de los que puede cocinar una sola persona. Y sí, tienes razón, necesito cortarme el pelo.

—¿Sabes? Creo que al final me acabará molestando que hagas eso.

Él se separa de la pared muy sonriente.

—Entonces, ¿mis correctísimos modales británicos todavía no te han sacado de tus casillas?

—Todavía no. —Me río—. Pero aún hay tiempo.

—Entonces debería informarte de que el jueves cenas en mi casa antes de que te enfades conmigo.

Lo miro.

—¿Ah, sí?

—Me parece que tenía que preguntártelo en lugar de informarte.

—Me parece que se suele hacer así, sí.

—Bueno, verás. —Se cambia de postura incómodo y por un momento parece más un adolescente avergonzado que un hombre adulto—. Mi madre viene este fin de semana, y prefiero cocinar yo que salir a cenar con ella por Nueva York.

—¿Y qué tengo que ver yo en todo eso?

Se vuelve a retorcer y yo reprimo una sonrisa.

—Es posible, puede que le haya dicho que quiero cocinar porque quería que la conocieras —murmura.

Levanto una ceja cuando se detiene en la puerta de Prospect Park.

—¿Y por qué has hecho eso?

—Porque esperaba que eso significara que no tendría que ponerme una camisa pija y recordar mis modales pijos en algún restaurante caro.

—Y ha funcionado. —Frunzo los labios—. Por cierto, me impresiona que hayas sabido llegar hasta aquí desde el Starbucks.

—Sí, he usado el Google Maps.

Me río.

—Entonces necesitas que vaya a cenar a tu casa y conozca a tu madre después de clase.

—A mi mamá.

—¿Eh?

Lo miro por encima del hombro mientras paso junto a los muchos monumentos conmemorativos que hay en la entrada del parque.

—Mi mamá —repite esbozando una sonrisa—. No mi madre.

—¿En serio? Pero si es lo mismo. Malditos británicos.

—Condenados americanos. —Se ríe y me hace sonreír—. Pero sí. Básicamente. ¿Por favor?

—¿Y qué saco yo de esto? —le digo bromeando.

—Pues tú consigues… mmmm… Bueno, diría que podrás conocer a mi mamá, pero eso no tiene por qué ser agradable. Es un poco… particular con la gente. También es probable que siga enfadada por haberse pasado tres años intentando liarme con varias de las hijas de sus amigas, y que yo siga soltero.

—Estás consiguiendo que suene tan tentador que apenas puedo contener mi entusiasmo.

—No te estoy convenciendo, ¿verdad? —Suspira—. Supongo que tendré que aprender a plancharme una camisa y pulirme los zapatos. Y pensar que iba a hacer lasaña…

Me paro y lo miro. Tiene una mueca de tristeza en

los labios y los hombros encogidos, como si se hubiera quedado helado a medio gesto. Si cree que me está engañando debe de pensar que soy tonta, porque veo perfectamente el brillo de diversión en sus ojos.

—Está bien. —Suelto las palabras con rabia para seguirle el juego—. Vendré. No podemos dejar que planches, ¿no es así?

Pongo los ojos en blanco.

Blake sonríe y retomamos el paseo.

—La plancha es la peor tortura que existe.

—Eres tan hombre que parece mentira.

—Y eso que hace solo un par de semanas tenías tus dudas.

«Idiota».

—En realidad todavía me lo estoy planteando. Creo que es por tus pestañas, tienes pestañas de chica. Te hacen parecer mono.

—¿Mono? ¿Mono? —Niega con la cabeza—. Podrías acabar haciendo mella en mi virilidad si sigues diciendo que soy mono.

Le sonrío.

—Pero es que eres mono. Como un cachorrito de caniche con un lacito en la cabeza.

—Dime que no me acabas de comparar con un caniche, Abbi.

Me tapo la boca y me muerdo la uña del pulgar.

—Es justo —argumento—. Tú me acabas de enredar en una cena con tu madre.

—Sí. —Se rasca la nuca—. No tienes que venir si no quieres. Supongo que puedo sobrevivir a la tortura del niño pijo por una noche.

—No. He dicho que iré a la cena y lo haré.

—Ha sido el puchero mezclado con los ojos de cachorrito, ¿verdad? Por eso has aceptado —dice—. Sabía que funcionaría.

—¡Puf! Te salen muy bien los ojitos de cachorrito

caniche. Pero no, te equivocas. La verdad es que me encanta la lasaña.

Me encojo de hombros y él me da un codazo. Yo le empujo aguantándome la risa y él me coge. Me pasa el brazo por encima de los hombros y yo le rodeo el estómago. Blake me acaricia la manga y ese gesto me relaja.

Me recuerdo que estoy en un lugar seguro, alejado del pasado. Que estoy en un lugar donde solo importa el presente. El pasado, e incluso el futuro, son irrelevantes. Solo importa el aquí y el ahora, y el aquí y el ahora es una caricia tan relajada y cómoda que lo significa todo. Y no hay ni una sola parte de mí que quiera despegarse de Blake.

Caminamos en silencio durante un rato, lo único que quebranta la paz es el canto de los pájaros y el agua de la cascada, hasta que llegamos a uno de los refugios rústicos que hay a orillas del lago. Las construcciones de madera miran al agua, y desde aquí puedo ver con claridad Duck Island a pesar de que ya está oscureciendo.

—Parece que solo nos veamos al anochecer —comento abstraída apartándome de Blake para acercarme al borde del refugio.

Miro hacia el agua y veo algunos patos solitarios que siguen nadando por el lago.

Blake se encoge de hombros cuando se acerca a mí. Apoya los codos en la repisa y cuando se inclina hacia delante su bíceps me roza el brazo.

—Escondiéndonos ante los ojos de todo el mundo —dice con despreocupación.

Yo parpadeo con aspereza, de repente me siento agradecida de que esté oscureciendo. Eso es algo que le dije como quien no quiere la cosa, como si no significara nada, y se ha acordado. Lo ha recordado y, por algún motivo, lo ha aplicado a todo lo que hemos hecho hasta ahora. Está dejando que me esconda donde él pueda verme.

Parece entender muchas cosas sobre mí: sabe cómo me siento, sabe cómo enfrentarse a los bajones que pueden surgir en cualquier momento. No le roban ni un solo parpadeo y nada parece desconcertarlo. Y eso resulta inquietante y tranquilizador al mismo tiempo.

—Es mi momento preferido del día —admito jugueteando con los dedos—. Justo ahora, cuando el día da paso a la noche. Es el momento en el que puedo abandonar la sonrisa falsa y dejar de fingir que todo es perfecto. A estas horas hay tantas sombras y espacios oscuros, que apenas puedo reconocer los míos, y me siento aliviada.

—No puedes pasarte la vida fingiendo. —Se vuelve hacia mí y tiene una mirada tan seria que me tengo que esforzar para no apartar la mía—. Una sonrisa como la tuya no puede ser siempre falsa. O eso, o eres mejor actriz que bailarina, y me parece que eso es imposible.

—Puede que no sea así todo el tiempo —le digo despacio y en voz baja—. No necesito fingir siempre. A veces estoy bien de verdad.

—Como cuando bailamos.

Ladeo la cabeza hacia él, lo miro por entre los mechones de pelo y susurro:

—Como cuando estoy contigo.

Se pone a llover otra vez y las gotas caen sobre el lago y golpean el techo del refugio. Blake esboza una sonrisa suave y alarga la mano para apartarme el pelo de la cara. Me pone un mechón detrás de la oreja y me roza la mejilla con el pulgar.

—Entonces me siento obligado a asegurarme de que no tengas que fingir que todo va bien esta noche. Creo que debería ir bien de verdad.

Se pone derecho y empieza a caminar hacia atrás.

—Ven a bailar.

—¿Qué?

Sale del refugio y aguarda bajo la lluvia mirándome

a los ojos y tendiéndome los brazos. Cada vez llueve más fuerte y Blake se está empapando. Tiene la camiseta pegada al cuerpo y se le marcan todos los músculos, no puedo evitar mirarlo. Paseo los ojos por cada marca que separa los músculos de su estómago, sigo por su pecho y llego hasta sus anchos hombros.

Sé muy bien lo sólidos que son esos músculos. He llorado sobre ellos. Me he agarrado a esos hombros. Él me ha cogido con esos brazos. Cada vez que ha estado ahí para mí, sin esperar más de lo que yo he querido darle. «Y la verdad es que no le he dado mucho».

Los chicos como él no deberían existir en la vida real. No le mentía cuando le dije que era demasiado perfecto como para que yo lo destrozara. Lo es. Su aspecto, su forma de bailar, su forma de estar ahí... Nunca esperé conocer a nadie después de lo de Pearce, y tampoco espero conocer a nadie como Blake.

Que alguien me pellizque. Debo de estar soñando.

—Ven a bailar —repite haciendo un giro de repente.

—Estás loco. —Niego con la cabeza—. Me voy a empapar.

Blake sonríe.

—¿Y no es ese el objetivo de bailar bajo la lluvia?

—Cada vez llueve más fuerte. ¡Me estoy mojando incluso aquí dentro por culpa de las ventanas! —Me coloco en el centro del refugio—. Está diluviando.

—¿Y qué problema hay? Venga.

Me tiende la mano y sus largos dedos me suplican que los agarre. Yo paseo la mirada de su mano a sus ojos, la sonrisa que reprime en los labios, su pelo húmedo y las gotas de lluvia que le resbalan por la cara.

—Yo... No.

—Confía en mí. —No me lo está pidiendo—. Confía en mí, Abbi. Solo dos minutos. Es lo único que tienes que hacer. Solo dame la mano y baila conmigo bajo la lluvia durante dos minutos.

—¿Por qué tienes tantas ganas de que salga ahí fuera? Si quieres bailar, lo podemos hacer aquí dentro.

Vuelve a entrar en el refugio y coge la mano que le tiendo. Está mojado, pero irradia un calor que me envuelve. Cuando nos miramos nuestras caras están a escasos centímetros la una de la otra.

—Porque veo cómo te dejas ir cuando bailas, y quiero que te dejes ir conmigo. Quiero que te pierdas en mí. Es egoísta, pero no me importa.

Inspiro hondo e intento ignorar cómo me aprieta la mano.

—Yo no… No sé si me puedo dejar ir —susurro.

—Claro que sí. Acabas de admitir que conmigo no tienes que fingir. Y no lo haces. —Blake me coge la otra mano y tira de mí lentamente—. Lo único que tienes que hacer es cerrar los ojos. Te prometo que no te perderás sola.

—¿Que cierre los ojos?

—Sí.

Inspiro hondo, no puedo creer que un paseo por el parque se haya convertido en esta locura. En algo tan emocionante y aterrador.

Cierro los ojos.

—¿Y ahora qué?

—Ahora siente —contesta tirando de mí.

Las primeras gotas de agua impactan en mi cabeza y en mi cara, noto su caricia fría sobre la piel.

—¿Que sienta el qué?

—Todo. —Más lluvia—. Siente la lluvia sobre la piel. Siente el contacto de mi piel contra la tuya. Siente el suelo húmedo deslizándose bajo tus pies. Y baila conmigo como si tu vida dependiera de ello.

La lluvia nos golpea desde todas las direcciones posibles, y está fría. Se me está empezando a pegar el pelo a la cara, y noto cómo la ropa se me pega por todo el cuerpo.

Blake me suelta una mano, me la coloca en la cintura y me acerca a él. Yo le apoyo la mano en el hombro y él nos hace girar. Nos hace girar una y otra vez hasta que ya no sé qué está arriba y qué ha quedado abajo. Hasta que nuestros cuerpos están pegados por la tela húmeda, y estoy segura de que tengo la mitad de los vaqueros llenos de barro de tanto patear los charcos que tenemos alrededor.

Noto sus manos calientes sobre la piel. Todo su cuerpo es un infierno, un auténtico contraste con la lluvia que cae sobre mi espalda. Blake hace que giremos de nuevo, controla perfectamente la situación, y a mí se me escapa una carcajada cuando me doy cuenta de lo ridículo que es lo que estamos haciendo. Echo la cabeza hacia atrás y me vuelvo a reír mientras noto cómo las gotas de agua me caen en la cara. Me imagino la imagen que debemos dar para cualquiera que pase por allí: bailando en la hierba llena de barro bajo la lluvia torrencial y riendo como si no tuviéramos ni una sola preocupación en el mundo.

Pero sí que las tenemos. Los dos tenemos preocupaciones, los dos nos escondemos secretos. La danza es la libertad donde nos perdemos.

Abro los ojos por primera vez desde que Blake me pidió que los cerrara, y levanto la cabeza. Me encuentro con sus ojos verdes, una mirada directa y sincera. Y veo millones de emociones en ellos: incertidumbre, dolor, felicidad, y unas sombras que se parecen mucho a las mías. Unas sombras que no había visto nunca, de las que no tenía ni idea.

Dejamos de movernos y yo trago saliva. Blake levanta nuestras manos entrelazadas y me aparta el pelo mojado de la cara.

—Confía en mí —dice en voz baja.

Apenas oigo su voz por entre las notas rítmicas de la música de la naturaleza.

Cierro los ojos cuando noto el contacto de sus labios suaves sobre los míos. Se me pone la espalda rígida, pero me tranquilizo cuando él me acaricia y nos besamos por segunda vez. Me relajo del todo contra él y me dejo ir como él quería.

Me estoy dejando llevar de una forma que jamás pensé que volvería a ser posible.

Me estoy perdiendo en la solidez de su mano contra mi espalda, su pecho pegado a mí y la caricia de sus labios.

Me estoy perdiendo en él.

Blake se retira un poco y nos quedamos en silencio un momento.

—¿Qué ha pasado? —susurro rompiendo el silencio con miedo de hablar más alto para no destruir el momento.

Porque este es un momento decisivo. Es algo que ha ido creciendo entre nosotros, el momento que tendría que salvarme o destruirme. El momento en el que se sobrepasa la línea entre la amistad y ese «algo más» y se convierte en algo que lo cambiará todo.

Él se ríe por lo bajo y me suelta la mano. Me pasa la mano por el pelo y me mira a los ojos.

—Que he cumplido mi promesa. Me he perdido contigo.

Yo paseo las manos por sus hombros y las entrelazo detrás de su cuello.

—¿Y te pierdes a menudo?

—Solo cuando estoy contigo —susurra.

Me siento como si estuviera flotando, nunca me he sentido tan ligera. Tengo la sensación de que por fin puedo respirar, de que ya no estoy atrapada bajo el peso de mis sentimientos. Me tengo que aferrar a este momento mientras pueda porque sé que si este es el único momento en el que me voy a sentir así, si mañana me vuelvo a perder en la oscuridad, me arrepentiré de no haberlo hecho. Si no me arriesgo en este momento, me odiaré toda la vida por ello.

Así que me pongo de puntillas y beso a Blake. Me pego a él y me abraza con más fuerza mientras me besa despacio y con suavidad.

Se enciende un fuego en mi estómago y las llamas crecen con cada latido de mi corazón. Es un fuego que no creo que pueda extinguir nada ni nadie.

Y me abandono a esas llamas, a los latidos de mi corazón y a las gotas de lluvia que resbalan por mi cuerpo. Me olvido del mundo y me pierdo completamente en Blake.

Blake

Abbi se sienta en mi sofá y se pone a juguetear con el mando a distancia. Mira fijamente la pantalla, pero en realidad no está viendo nada. Me seco las manos en el trapo, me siento con ella en el sofá y apoyo el brazo en los cojines del respaldo.

—No tengas miedo —bromeo—. Te prometo que mi madre no te comerá.

Abbi me da un pequeño pellizco en la rodilla, se reclina y apoya la cabeza en mi brazo.

—No tengo miedo.

—Mentirosa.

Me enrosco uno de sus mechones en el dedo.

—Bueno, puede que un poco —admite—. Es que… No sé.

—No te he dado muy buena imagen de ella. Admito que no tenemos la mejor relación del mundo, pero no está tan mal. —Alguien llama a la puerta y yo inspiro hondo—. Creo que ya ha llegado.

Abbi traga saliva, se sienta más derecha y se pone un mechón de pelo detrás de la oreja. Yo me concedo un momento antes de levantarme para abrir la puerta. Al poco me decido y, cuando abro, me encuentro en el umbral a la mujer con la que crecí.

Lleva el pelo rubio recogido con pulcritud, no se le ve ni una cana, y tiene la mirada más viva que nunca y las pestañas cubiertas de una delicada capa de rímel. Ha disimulado las arrugas con un poco de maquillaje, y se podría decir que su sonrisa es casi —casi— sincera.

—¡Blake!

Mi madre alarga los brazos y me da un abrazo un poco tenso.

—Mamá.

Intento imprimir un poco de entusiasmo en mi voz, pero me sale un tono completamente plano. Por suerte, ella no se da cuenta.

—Te veo bien.

Entra en el apartamento, mira hacia el salón y posa los ojos en Abbi un segundo.

—Igualmente. Mamá… —Cuando me vuelvo veo a Abbi de pie delante del sofá con las manos entrelazadas al frente—. Esta es Abbi. Abbi, te presento a mi madre, Cara.

Mi madre le estrecha la mano a Abbi y se saludan. Abbi parece nerviosa, pero sonríe de todas formas. Entonces pienso que quizá la he obligado a hacer esto. Tori odiaba estar con gente, especialmente con desconocidos, y nunca he visto que Abbi hablara con nadie en clase de *ballet* a excepción de mí o de Bianca.

Qué bien. Ahora me siento como un imbécil de campeonato.

—Eh, mamá, ¿te apetece una copa de vino? La cena no tardará. Solo tengo que meterla en el horno.

—Me encantaría.

Se sienta en el sofá con la elegancia propia de su educación de clase media, la misma que me inculcó de niño. Y, sin embargo, yo me sigo tirando en el sofá de la misma forma que lo hacía cuando tenía tres años.

—¿Abbi?

La miro mientras abro el frigorífico y saco una botella del Pinot Grigio preferido de mi madre.

—¿Mmm?

Parece un poco más relajada.

—¿Quieres vino?

—Oh. Sí, claro.

Sirvo tres copas y las llevo al salón. Me siento junto a Abbi y me resisto a la tentación de dejarme caer en el sofá. Me divierte pensar que sigo teniendo una vena rebelde a los veintiuno.

—Bueno, Blake —dice mi madre—. Háblame de tu trabajo.

—¿En el restaurante?

Alzo las cejas.

—¿Tienes algún otro trabajo que yo desconozca?

—No.

—Entonces sí. Me refiero a ese.

«Respira hondo, Blake».

—No hay mucho que contar. No trabajo hasta demasiado tarde, me pagan bien y está bastante cerca de aquí. Los fines de semana hay mucho más trabajo, como es normal, pero es llevable. Mi jefe es buen tío, y ya le he cogido el truco al marisco.

—Estupendo. —Mi madre sonríe—. Me alegro de que te vaya bien, cariño. La verdad es que no creía que pudiera ser peor que ese horrible trabajo que tenías en Londres. Nunca entendí por qué lo aceptaste, y menos después de que Yvette Mayfair te ofreciera un puesto en su restaurante.

—Yvette me pagaba menos de lo que me pagaban en el otro sitio. Y yo necesitaba ahorrar el dinero suficiente para venir aquí.

Mamá sorbe por la nariz.

—Sí, bueno. Como decía, este trabajo parece mucho más apropiado para ti y tus habilidades.

—Yo también lo creo. —Miro el reloj—. Voy a echarle un vistazo a la cena. Ahora vuelvo.

Dejo la copa en la mesa y corro hacia la cocina. Siento una punzada de culpabilidad momentánea por dejar a Abbi a solas con mi madre, pero Dios, solo llevo cinco minutos con mi madre y ya me estoy arrepintiendo de haber aceptado cenar con ella.

La lasaña ya está lista. La sirvo. Llamo a Abbi y a mi madre para que vengan a la cocina imaginando que habré roto un silencio un tanto incómodo, y aprovecho la oportunidad para preguntarle a mi madre por los demás.

—Tu padre trabaja demasiado, como siempre —contesta suspirando—. No dejo de decirle que delegue las tareas simples en su auxiliar del despacho —ya sabes, las llamadas, el archivo y esas cosas—, pero se niega. Dice que ese chico solo está allí para echar una mano hasta que Jason se vaya a la universidad en septiembre y vuelva para hacer las prácticas con él.

Frunzo el ceño.

—Pensaba que Jason se quedaría en el equipo. ¡Es uno de sus mejores jugadores!

—Sí, bueno, todavía es posible. Aún no se ha decidido, pero es evidente que la universidad es la mejor opción. Tu padre está intentando convencerlo.

Me muerdo la lengua para no darle una bofetada.

—Mamá, Jase sueña con jugar en ese equipo desde que empezó a darle las primeras patadas a un balón. Y ahora tiene la oportunidad de hacerlo, una oportunidad de verdad. No le podéis quitar eso.

—Yo no pretendo hacer nada parecido. —Vuelve a sorber por la nariz y toma un trago de vino—. Pero debe comprender que tiene opciones. No todo el mundo tiene que salir corriendo en busca de sus sueños.

Abbi me da una patadita suave por debajo de la mesa y yo inspiro hondo y esbozo una sonrisa falsa.

—Claro. Tiene que valorar sus opciones.

Las que él quiera. No las que le impongan unos padres autoritarios.

—Dime, Abbi —dice mi madre volviéndose hacia ella—. ¿Tú qué haces aparte de bailar?

—Ah. Pues ahora mismo nada —le contesta Abbi en voz baja—. Empleo la mayor parte de mi tiempo en bailar.

—Blake me ha dicho que eres una bailarina maravillosa. Por como habla de ti me sorprende que no hayas entrado todavía en Juilliard.

—Cuando se celebraron las últimas audiciones, yo no estaba muy bien, y tuve que esperar. Todavía me estoy recuperando, pero espero conseguirlo la próxima vez.

—Seguro que lo harás.

Le sonrío y ella me devuelve la sonrisa.

—Es una lástima —reflexiona mi madre con una nota de solidaridad sincera en la voz—. Pero me alegro de que te estés recuperando. Si no te importa que te lo pregunte, ¿estabas muy enferma?

Me quedo helado.

—Bueno. —Abbi deja el tenedor en el plato y levanta la mirada—. Supongo que eso depende de lo que cada cual entienda por «muy enferma». Yo ya no lo calificaría de esa manera, pero supongo que la depresión es todo lo mala que uno quiera.

Se hace un silencio en la mesa y advierto la mano temblorosa de mi madre.

—Pobrecita —contesta mamá con la voz más relajada que nunca—. Qué enfermedad tan terrible para una persona tan joven.

«Cómo si no lo supieras ya».

—Sí, bueno, es lo que decía. Es tan mala como uno quiera. Por suerte ahora ya la tengo bastante controlada, y la danza me ayuda mucho. Bueno, y Blake. Me está apoyando mucho.

—Estoy segura de que sí. —Mamá me mira, su mirada es cada vez más fría. Yo le alzo una ceja con aire interrogativo y me hago el tonto. Ella se mira el reloj y deja los cubiertos de golpe—. ¿Esa hora que marca es la correcta?

—Solo son las ocho y media —digo con despreocupación.

—Sí, bueno, me temo que el *jet-lag* me está ganando la partida, y mañana tengo una reunión muy temprano, así que me voy a retirar. Lo siento mucho.

«Mentirosa».

—Vaya, qué lástima.

Por lo visto yo miento tan bien como ella.

—Lo comprendes, ¿verdad, Blake?

—Claro, mamá. ¿Quieres que te pida un taxi?

—No. —Se levanta y se limpia algo de la falda—. He contratado a un chófer. Pensé en alquilar un coche, pero todo el mundo sabe que es mejor no conducir en Nueva York.

Me levanto y la acompaño hasta el salón, donde coge su bolso.

—Bueno, ha sido un placer verte. Aunque haya sido una visita corta —comento intentando sonar cortés.

—Igualmente, cariño. Te veo muy bien. Bueno, debo volver al hotel y meterme en la cama. —Se detiene un momento delante de la puerta—. Te llamaré antes de marcharme.

Sonrío, me inclino hacia delante y le doy un beso en la mejilla.

—Genial. Ten cuidado al cruzar el puente.

—Disfrutad de la noche.

Cierra la puerta al salir y yo me apoyo sobre ella y suspiro aliviado.

Niego con la cabeza. Qué horror. La cena ha ido de mal en peor en un tiempo récord.

—Ha ido bien —comenta Abbi con sequedad haciéndose eco de mis pensamientos—. Ha sido como un choque de trenes.

—Estaba esperando que entrara un desfile de unicornios y arcoíris por la puerta —le contesto.

—Me parece que no le caigo bien.

—Yo no me preocuparía mucho. Yo tampoco le caigo bien. —Me encojo de hombros y ella se ríe—. ¿Qué te hace tanta gracia?

—Ya sé que esto no tiene nada que ver —comenta—, pero cuando conversas con ella tu forma de hablar cambia por completo. Adoptaste una actitud de pijo acabado en cuanto entró por la puerta. He tenido la sensación de que me había teletransportado a Buckingham Palace o algo parecido.

Se me escapa un gruñido.

—¿En serio? Pensaba que había dejado ese rollo pretencioso en el aeropuerto de Gatwick.

Ella apoya la barbilla en la mano y sonríe.

—Me ha gustado.

—¿Ah, sí? —Ladeo la cabeza y me siento—. ¿Cuánto te ha gustado?

—Ha sido como si estuviera viendo *Downton Abbey*.

—¿Y eso qué significa?

—Siempre veía esa serie por los acentos. Así que me ha gustado mucho.

—¿Y cuánto es mucho?

—Me parece que es evidente, Blake.

Se me queda mirando, se está divirtiendo y le brillan los ojos, y el contorno de sus labios rosas es demasiado tentador. La beso y luego le rozo los labios con los míos con delicadeza.

—¿Te ha gustado tanto como esto? —murmuro con la cara pegada a la suya.

Ella asiente y yo me acerco de nuevo y poso la mano en su mejilla. Enredo los dedos en su pelo con suavidad, le acaricio la mejilla con el pulgar y ella se acerca un poco más a mí. Me coge del brazo y yo la invito a profundizar en el beso. Lo hace, y cuando le paso la lengua por los labios, percibo el sabor del vino que nos hemos tomado antes. Abbi me aprieta el brazo y yo me retiro sin ningunas ganas.

Puede que todavía no sepa los motivos que se ocultan tras su dolor, pero no pienso presionarla a hacer algo con lo que no se sienta cómoda.

—Estás tan conectado conmigo que me asusta —susurra.

—No estoy tan seguro —contesto—. Pero si hablando como un pijo idiota consigo que me beses así, lo haré más a menudo.

Abbi se ríe por lo bajo y me mira a los ojos. Cuando parpadea las pestañas le rozan la piel y por poco me ahogo en la intensidad de su mirada. Al mirarla así, tan de cerca, apenas me acuerdo de la visita de mi madre.

Abbi Jenkins tiene algo de lo que no me podría liberar aunque quisiera. Me ha atrapado con tanta intensidad que, cuando estamos juntos, casi me olvido de todo, y cada caricia que compartimos alivia el dolor del pasado y me empuja a mirar hacia el futuro.

Y no creo que ella sepa lo mucho que me alucina.

Abbi

*D*ejo la mano suspendida sobre la puerta de la escuela de danza con incertidumbre. He venido porque Bianca me ha llamado, pero todavía no sé el motivo por el que estoy aquí. Hoy no tenemos clase, y no se me ocurre nada que pueda querer decirme en persona que no pudiera decirme por teléfono.

Agarro el picaporte y abro la puerta. Oigo las suaves notas del piano y recuerdo que los viernes tiene clase con las niñas pequeñas. Ahora todavía entiendo menos el motivo de la llamada. Pero sigo caminando por el pasillo y asomo la cabeza por la puerta del aula.

Hay dos hileras de niñas vestidas con maillots de color rosa, violeta o azul, y todas están haciendo *demi-pliés* al ritmo de la música. Esbozo una sonrisa. Están adorables.

Bianca me ve y les dice algo a las niñas. Todas asienten, pero no dejan de bailar. La profesora se acerca a mí, con su altura y porte majestuosos, y salimos al pasillo.

—Me alegro de que hayas venido —dice.

—No acabo de entender para qué necesitabas que viniera.

—Es muy sencillo. —Bianca sonríe—. Tengo una amiga que tiene una escuela de *ballet* para adolescentes en la otra punta de la ciudad, y está organizando una representación para finales de agosto. Se trata de *El lago de los cisnes*. El grupo de niños que iba a encargarse de encarnar a los animales ya no está disponible, y mi amiga se niega a cancelar la obra porque se han vendido todas las entradas. Me llamó ayer por la noche y me preguntó si a mis niñas les gustaría representar los papeles de los animales. Tendrán mucho trabajo, pero sé que pueden hacerlo.

—¿Y qué tiene que ver conmigo?

Paseo la mirada entre las diminutas bailarinas y Bianca.

—No me puedo ocupar yo sola de que todas las niñas se aprendan los pasos. Tendrán muy poco tiempo para aprenderse la coreografía, y necesito ayuda.

—Tú… ¿Quieres que yo te ayude?

—No se me ocurre nadie mejor. —Me toca el brazo—. No te lo estoy pidiendo como un favor, Abbi. Te estoy contratando para que me ayudes. Te pagaré y, quién sabe, si todo sale bien, quizá necesite una ayudante de forma permanente.

Trago saliva y pego los dedos al cristal.

—No sé si puedo hacerlo. Quiero decir, no sé si estoy preparada para hacer una cosa así.

—Esta mañana he llamado a la doctora Hausen —admite Bianca con delicadeza—. Le he pedido su opinión, y cree que sería bueno para ti. Tanto ella como yo creemos que tener un trabajo te ayudará a pensar en algo distinto y olvidarte de las sensaciones que has tenido últimamente…

—Te has dado cuenta.

—Y para ti no hay mejor trabajo que este, podrías hacer lo que más te gusta. A mí me encanta dejarme ir y bailar, pero lo que más me gusta de todo es ver la alegría reflejada en la carita de cada una de estas niñas cuando por fin consiguen hacer un paso que no les salía. Y —me da una palmadita en el hombro— no hay nada mejor que ver cómo alguien se encuentra y empieza a vivir de nuevo.

—Supongo que tienes razón. Me irá bien, y el *ballet* me hace sentir viva. Muy viva.

—También ayuda mucho tener de pareja a un tío guapísimo con acento británico. —Bianca me guiña el ojo con actitud juguetona—. ¡Lo sabía!

—No sé de qué estás hablando —le miento reprimiendo una sonrisa—. Blake y yo somos amigos. Muy buenos amigos.

—Abbi, cariño, he visto cómo te mira. Y esa mirada no es de amigo. —Me posa la mano en el hombro y se inclina hacia la puerta para abrirla—. Pero por muchas ganas que tenga de sacarte hasta el último detalle, eso no es asunto mío. También me espera una clase, y quizá incluso tenga que presentar a una nueva ayudante.

Dejo de sonreír, inspiro hondo y miro a las niñas. Siguen bailando en perfecta sincronía. No me costaría enseñarles. Me sé tan bien los pasos de *El lago de los cisnes* como el *pas de deux* que bailaremos Blake y yo. Además, si la doctora Hausen cree que es una buena idea... Puede que haya llegado el momento de salir de la zona de confort.

—Esta bien. Lo haré.

Bianca sonríe de oreja a oreja y abre la puerta. Da tres palmas con las manos y las niñas se paran y se colocan en primera. Yo me quedo en la puerta con un amasijo de nervios en el estómago. Entrelazo las manos para que no se note el temblor.

—Chicas, quiero presentaros a alguien. —Bianca me hace un gesto—. Esta es Abbi, y es mi nueva ayudante. Me ayudará con vuestra clase durante los próximos meses.

Me acerco despacio a Bianca y siento doce pares de ojos inquisitivos sobre mí.

—Hola a todas.

Las saludo con la mano.

—Os estaréis preguntando por qué tengo una ayudante, ¿verdad? —Bianca observa las cabezas que la miran asintiendo—. Pues veréis, a finales de verano, en lugar de hacer nuestra representación habitual aquí para los padres, formaréis parte de una obra más grande que se representará en un teatro. Una amiga mía está dirigiendo *El lago de los cisnes* y necesita cubrir varios papeles de animales. Yo le he dicho que tengo doce animalitos en una de mis clases que le irían de maravilla.

El grupo se deshace en jadeos y grititos, y no puedo evitar sonreír al ver las expresiones de sus caritas. Están completamente sorprendidas, pero no dejan de sonreír y la excitación que brilla en sus ojos las delata: se mueren por participar.

—Eso significará que tendréis que trabajar muy duro, chicas, y quizá debamos hacer algunas clases extra los sábados. Por eso está aquí Abbi; ella se ha ofrecido amablemente a ayudarme para enseñaros los pasos. Es una de las mejores bailarinas de mi grupo avanzado, así que dentro de diez años, cuando sea una bailarina famosa que viaje por todo el mundo, espero que todas presumáis de que fue ella quien os enseñó los pasos de vuestra primera representación importante. —Bianca me vuelve a guiñar el ojo—. Ahora voy a ser muy traviesa, así que silencio. Voy a ir a por un vaso de agua y, mientras tanto, os dejaré con Abbi durante diez minutos para que os vayáis conociendo.

Todas las niñas hacen un círculo a mi alrededor, no dejan de dar saltitos de emoción. Me da la impresión de que su emoción tiene más que ver con la noticia de que van a bailar en un teatro de verdad, pero me siento querida de todas formas. Y la sensación es... agradable.

—Vas a tener que dejar de lanzarme estas sorpresas —le murmuro a Bianca cuando pasa por mi lado.

—No sé a qué te refieres.

Sale de la clase seguida de su tío y, de repente, me quedo a solas con doce chiquillas de siete y ocho años muy habladoras.

—¿Por qué no nos sentamos? —les sugiero mirando el mar de caras que tengo a mis pies—. Así hablaremos más cómodas, ¿de acuerdo?

Me responde un coro de afirmaciones, y me siento con las piernas cruzadas en el suelo de la clase. Todas me imitan y se sientan con las espaldas perfectamente rectas.

—¿Por qué no nos presentamos primero? Decimos nuestro nombre, nuestra edad y alguna cosita sobre nosotras. Empezaré yo. —Me revuelvo un poco—. Me llamo Abbi, tengo dieciocho años y me estoy preparando con Bianca para entrar en Juilliard.

A medida que la ola de presentaciones avanza, voy aprendiendo nombres y los detalles más extraños. Los niños no tienen un filtro muy potente entre el cerebro y la boca, y en más de una ocasión tengo que reprimir una carcajada.

—Está bien, ahora que ya os conozco a todas, ¿tenéis alguna pregunta para mí?

Rosie, una niña pequeña con el pelo castaño, levanta la mano.

—¿Alguna vez has bailado *El lago de los cisnes*?

Asiento.

—Muchas veces. Es mi pieza preferida.

—¿Cuántos papeles has interpretado?

—Unos cuantos. Cuando tenía dieciséis años interpreté a Odette en una obra de Navidad.

—Yo pensaba que para Navidad siempre se representaba *El cascanueces* —espeta Bailey, una niña rubia.

—A veces sí, pero no siempre —le contesto—. Yo interpreté el papel cuando era un poco mayor que vosotras.

—Seguro que también has interpretado a Clara.

No sé quién ha dicho eso, pero yo me estremezco fingiendo sorpresa.

—¿Cómo lo sabes?

—Te pareces a Clara —dice la misma voz con seguridad.

—¿Alguna vez has estado en un escenario muy muy grande?

Otra voz.

—Sí. Muchas veces.

—¿Y cómo es?

Sonrío al recordar la libertad de bailar sobre un escenario, cuando todo está a oscuras a excepción del foco que te ilumina.

—Es lo mejor que hay. Es muy divertido, y no da tanto miedo como pensáis. Ya lo veréis.

—¿Y si tenemos demasiado miedo como para intentarlo?

Me pregunta una vocecita. Miro en su dirección, pertenece a una niña pelirroja que se esconde tras una mano; ya no me acuerdo de su nombre.

—No creo que ninguna de vosotras tenga miedo de intentarlo. Apuesto a que todas estaréis fantásticas sobre un escenario.

—Pero hay mucha gente.

—Está oscuro —le contesto—. El público no se ve, y te olvidas de ellos en cuanto empiezas a bailar. Os lo prometo. Y no le digáis a Bianca que os he dicho esto… —Les hago un gesto para que se acerquen—. Pero si tenéis mucho mucho mucho miedo, solo tenéis que imaginaros al público en ropa interior y con orejas de conejito.

Todas las niñas rompen a reír descontroladamente. Yo les sonrío mientras pienso que he tomado la decisión correcta al aceptar la propuesta de Bianca.

Si doce caras alegres y emocionadas no consiguen alegrarme el día tres veces por semana, no podré alejarme nunca de San Morris.

Υ

EL JUEGO DE LA LUJURIA

Mamá y papá se han ido de viaje y la casa está completamente en silencio. Es la primera vez que se van desde que volví a casa, y es maravilloso sentirse tan libre. Nadie me mira con preocupación si sigo con el pijama puesto al mediodía, ni me clava la mirada cada vez que me acerco al cajón de la cubertería.

Si consiguiera no quemar las tostadas, disfrutaría mucho untándolas con mantequilla.

Estoy un poco asustada. La convicción de lo que podría llegar a hacer no deja de atormentarme. El peso del dolor que he sentido estas últimas semanas —a pesar de todas las cosas buenas que me han pasado—, empieza a ser demasiado para mí. Ahora estoy sola, y parece más pesado que nunca. Así que hago lo que debo y llamo a la doctora Hausen antes de que llegue Blake para practicar.

—¿A qué debo el placer de tu llamada? —contesta la doctora Hausen.

—Este fin de semana estoy sola en casa y tengo miedo —espeto.

—Qué...

—Tengo miedo de no ser lo bastante fuerte como para controlar los impulsos que puedan asaltarme si tengo una mala noche. La última vez que estuve sola en casa fue la noche que casi se convierte en la última de mi vida. ¿Qué hago si me vuelvo a sentir así? Esta vez Maddie no está aquí.

—Abbi... Abbi —me dice con suavidad—. Necesito que respires por mí. Como hemos practicado. Despacio.

Tiene razón. Tengo que tranquilizarme. Necesito respirar. Cierro los ojos con el teléfono todavía pegado a la oreja y respiro despacio oyendo cómo cuenta la doctora Hausen. Pasan unos cuantos minutos, pero al final vuelvo a respirar con normalidad.

—Bien. Muy bien. ¿Cómo estás?

—Estoy bien. Ha sido solo... Un momento.

—Todos tenemos nuestros momentos de vez en cuando, Abbi. Van bien, te ayudan a sacarlo todo.

Asiento como para reafirmarme.

—Tienes razón. Esos momentos ayudan, de cierta forma. Ya lo sé.

—Exacto. Y como ya lo sabes, estoy segura de que este fin de semana te irá muy bien. Ya sabes cómo frenar los ataques de pánico y cómo pelear contra los impulsos. La única diferencia es, que esta vez, tendrás que hacerlo sola y sin ayuda de tus padres. Eso es todo.

—Sola —murmuro—. Está bien. Yo sola.

Suspiro con fuerza.

—Este fin de semana estoy de guardia. Si me necesitas ya sabes dónde estoy. Me puedes llamar o incluso puedes venir a San Morris si necesitas compañía.

El día que me dieron el alta me prometí que no volvería allí salvo a las sesiones con la doctora, pero en este momento la idea me resulta reconfortante. No puedo negar que me siento tentada, pero me aferro a esa fuerza interior de la que todo el mundo está tan convencido, y rechazo su oferta con educación.

—Si necesitas cualquier cosa, ya sabes dónde estoy.

La línea se corta y yo dejo el móvil.

Me envuelve un silencio mortal y oigo unos susurros en mi cabeza, me tiemblan los dedos, y me muerdo la cara interior de la mejilla.

Cojo el mando a distancia y enciendo la televisión para acabar con esas sensaciones. A pesar de lo que le he dicho a la doctora Hausen hace solo un momento, no estoy segura de que las cosas vayan a salir bien. Miro el reloj que hay sobre la repisa de la chimenea para comprobar cuánto tiempo tendré que estar sola. Blake debería llegar en cualquier momento, así que me siento encima de las manos y me lleno las mejillas de aire para no mordérmelas. Pero los susurros siguen ahí.

Siempre están ahí.

Empiezan casi en silencio, es solo un rumor en lo más recóndito de mi mente, pero cada minuto que pasa van subiendo el volumen hasta que acaban gritando. Hasta que sus gritos y aullidos se apropian de todo lo demás, hasta que los impulsos que me provocan son lo único en lo que puedo pensar.

Me concentro en la serie *Las chicas Gilmore* y trato de escuchar sus voces en lugar de prestar atención a la ansiedad. Maldita sea, ¿dónde está Blake? Me mezo un poco hacia delante y apoyo todo el peso de mi cuerpo sobre las manos para detenerme. Miro por las ventanas y veo cómo el sol poniente ilumina las nubes bajas.

Descender. Costilla contra cadera. Rodilla contra tobillo. Tobillo contra dedo del pie.

Cierro los ojos y niego con la cabeza.

Descender. Ojos contra los pies. Puño contra mejilla. Mejilla contra el suelo.

Y puedo sentir cómo tira de mí. Un recuerdo que nace de mi ansiedad. Noto cómo se apodera de mi mente. Empiezo a temblar y una música suave reemplaza los sonidos de la televisión y las manos de Pearce sustituyen a las mías.

—Pearce —le supliqué—. Por favor, vámonos. Ya sabes que Owen nunca te devolverá lo que te debe, y menos si aún le debes dinero a su hermano.

—Ni siquiera es su puto hermano de verdad, Abbi. Ya lo sabes. Owen solo es un pardillo que se esconde detrás de él.

—Me da igual lo que sea Owen. ¡Ya sabes que no te va a pagar!

Me cogió del brazo y me empotró contra la pared de ladrillo. La punzada de dolor me recorrió el cuerpo, pero me mordí el labio y oculté la mueca.

—Este fin de semana Gary no está. Solo necesito estar cinco minutos dentro de la casa con Owen, y ese capullo soltará la pasta.

—Eso no lo sabes —susurro.

—Tú no eres tonta, Abbi. Ya sabes que conseguiré el dinero. —Me fulmina con la mirada y veo la ira que brilla en sus ojos—. ¿Verdad? Sabes que la conseguiré.

No contesté. Me empotró con más fuerza contra la pared.

—¡¿Verdad?!

—Sí —contesté en voz baja apartando la mirada—. Sé que la conseguirás.

—Bien.

Me soltó sin decir una sola palabra más y se marchó calle abajo en dirección a casa de Owen. Yo le seguí despacio arrastrando los pies contra el suelo. Me dolía el brazo justo por donde me había agarrado, y estaba convencida de que tenía un arañazo en la espalda por culpa de los ladrillos de la pared. Me agarré el brazo con la mano y esbocé una mueca de dolor.

Recé para no tener su mano marcada en la piel. Si alguien me veía un moretón podía explicarlo, pero era imposible explicar la huella de unos dedos.

Alguien llama a la puerta con fuerza. Me alejo del pasado y noto que me duele el brazo. Bajo la vista y veo que me estoy agarrando el brazo por el mismo sitio por donde me lastimó Pearce. No me dejó la marca de la mano, pero esa no fue la peor herida con la que acabé aquella noche. La peor fue el corte que me hizo en la pierna cuando me lanzó aquel vaso.

Digo que fue la peor, pero fue la peor y la mejor. Me dolió y me relajó al mismo tiempo. Me ayudó a superar los inevitables insultos que me dedicó como si fuera culpa mía que Gary hubiera cancelado su fin de semana y le hubiera puesto el ojo morado a Pearce por ir a molestarlo.

—¡Abbi! —grita Blake mientras llama a la puerta.

Su voz me recuerda que está aquí.

Me suelto el brazo y voy hacia la puerta. Los susurros siguen ahí, más altos, me suplican que haga lo que he jurado no volver a hacer. Estiro los dedos de las manos, incluso la idea de clavarme las uñas en la palma de las manos me resulta tentadora. Ese pequeño pinchazo en la piel ya sería malo. Demasiado. Muy tentador.

Abro la puerta y miro a Blake. Deja la mano suspendida en el aire, me mira la cara y enseguida se da cuenta de que algo no va bien.

—Qué… —dice con suavidad—. Oh, Abbi.

Yo lo miro sin decir una sola palabra mientras él cruza el umbral y cierra la puerta. Me coge de la cara y me limpia las lágrimas. Bajo la vista y las escondo, aunque él nunca sabrá el motivo por el que estoy llorando y temblando.

—Háblame —susurra tirando de mí hacia él.

Yo niego con la cabeza pegada a su cuerpo y los brazos colgando a ambos lados del tronco. Sus caricias acallan los susurros, pero no es suficiente. Siguen ahí.

—Me parece que esta noche necesito estar sola.

Me deshago de sus manos y camino hacia la cocina.

—De eso nada. No te vas a deshacer de mí tan fácilmente.

Oigo el eco de sus pasos, que me siguen hasta la cocina.

Me cruzo de brazos, miro hacia la ventana y luego lo miro a él.

—Creo que necesito estar sola —repito.

—No pienso empezar a plantearme siquiera la posibilidad de irme hasta que no me digas qué te pasa.

—Estoy bien.

—Sí, claro, llorar y temblar es la definición exacta de estar bien.

Me estremezco al oír el volumen de su voz.

—No quiero hablar del tema.

—Abbi.

—He dicho que no quiero hablar de esto.

—Pues yo sí. Quiero saber qué te ha alterado tanto. ¿Qué es lo que te está haciendo tanto daño?

—He dicho… —Aprieto los dientes—. ¡No!

—¡Maldita sea, Abbi! —grita—. ¡No pases de mí! ¡Déjame ayudarte!

—¡No necesito ayuda! —Eso es mentira, pero lo que le digo a continuación es completamente cierto—: Esta depresión… Me está destrozando incluso más que antes. Es un proceso lento, pero me está despedazando. Lucho contra ella cada día. ¡Me estoy esforzando! Cada día es una nueva pelea para mí, vestirme, salir de casa. Cada día me acosan los recuerdos y es duro. Es muy duro, pero tengo que seguir peleando. Tengo que hacerlo sola. Nadie me puede ayudar, solo lo puedo hacer yo. Soy la única que puede mejorar la situación, pero ni siquiera sé si puedo de verdad, y por eso tampoco mi madre, ni mi padre, ni la doctora Hausen, ni Bianca, ni siquiera tú… Tú tampoco puedes solucionarlo. No puedes hacer que desaparezca.

»No puedes salvarme, Blake. ¿Lo entiendes? No. Puedes. Salvarme. —Me doy media vuelta, dejo colgar los brazos y miro sus ojos preñados de emociones—. He intentado creerlo. Quería creerlo, pero no soy una princesa, Juilliard no es un castillo de un cuento de hadas, y tú no eres un príncipe montado en un corcel blanco que vendrá a buscarme y matará al dragón. Hay cosas en la vida que no merecen la salvación, y hay otras que no se pueden salvar. Y estoy convencida de que a mí nadie me puede salvar.

—Te equivocas. ¡Te podría salvar si me dejaras ayudarte!

Me dejo llevar por el impulso, cojo un vaso de la encimera y lo estrello contra el suelo. Ira, impotencia, frustración, dolor: todas esas emociones crecen hasta niveles incontrolables. Pero Blake no cede ni un parpadeo. Ni siquiera mira el vaso. No deja de mirarme a los ojos ni un segundo.

—¿Puedes arreglar eso, Blake? —Señalo el vaso con la respiración muy agitada; de repente me cuesta mucho respirar—. ¡¿Puedes?!

—No te puedes comparar con un vaso roto; son cosas diferentes.

—No es verdad. En absoluto. ¿Ves los trozos en el suelo? Hay cientos de miles de pedacitos, y por mucho que te esfuerces jamás podrás volver a colocarlos como estaban. Y aunque lo consiguieras no encajarían a la perfección. Siempre faltará algún pedazo. Siempre habrá algún trozo que no consigas colocar.

»¡Yo soy ese vaso! Estoy hecha añicos, despedazada, rota. Soy irreparable. —Camino hacia atrás hasta llegar a la pared; estoy completamente tensa. Apoyo las manos temblorosas contra la pared sin dejar de mirarlo a los ojos—. Da igual lo mucho que te esfuerces. Nunca volveré a estar completa. Nunca seré la princesa que se suba a lomos de tu caballo. Nunca, jamás seré la persona que era antes.

Él da unos pasos adelante, y cuando habla tiene la voz teñida de desesperación.

—No eres la persona que eras antes porque no estabas destinada a ser esa persona. Quiero ayudarte, Abs. ¡Me gustaría que me dejaras ayudarte!

—¡No quiero tu ayuda! —grito pegándome a la pared con la cabeza bien alta—. No quiero tu ayuda. Quiero que te marches. Quiero estar sola.

El frío y afilado contacto de una cuchilla sobre la piel. La lenta y dolorosa separación de la carne. El cálido y tranquilizador goteo de la sangre. Rojo sobre blanco.

—¿Para que puedas registrar toda la casa en busca de algo lo bastante afilado con lo que cortarte?

Su tono es más tajante que nunca y el veneno que destila me deja helada.

Se me entrecorta la respiración y vuelvo a levantar la cabeza. Nos miramos a los ojos. No se parece en nada al Blake que conozco. Tiene la mirada fría, no hay ni rastro de brillo o chispa alguna en los ojos que me está clavando con más fuerza que cualquier cuchilla. Intento apretar los puños para sentir cómo se me clavan las uñas en las palmas de las manos. Buscando un respiro.

—¿Es eso? —pregunta con el mismo tono mordaz.

Uñas. Palmas. Dolor.

—No —le contesto, pero mi voz es débil y no me convenzo ni siquiera a mí misma.

—Deja de apretar los puños —me ordena. Yo niego con la cabeza y me llevo los puños al estómago—. ¡Deja de apretar los puños!

—¡No!

Blake corre hacia mí y sus pasos resuenan sobre el suelo de madera. Me coge de los puños e introduce sus dedos por entre los míos.

—¡No! —grito de nuevo sintiendo el calor de las lágrimas en mis ojos cuando consigue separarme las uñas de la piel.

—No pienso dejar que te hagas esto.

—Aprieta los dientes mientras me agarra las manos con fuerza.

—¡Tú no lo entiendes! —Sollozo con la garganta apelmazada presa del pánico—. No lo entiendes. Necesito algo. Hace mucho que no lo hago, pero ya no aguanto más. Lo necesito. No puedo seguir recordando. Me duele demasiado. Suéltame. Por favor.

Sacudo los brazos y le golpeo tratando, desesperadamente, de que me suelte. Me revuelvo, pero él está pegado a mí y me tiene atrapada contra la pared. Entonces grito porque tengo la sensación de que es Pearce quien me tiene inmovilizada en lugar de Blake.

Y vuelvo a viajar en el tiempo.

Pearce. Música. Alcohol. Drogas. Su mano. Mi cara.

—Sssshhh.

Me estoy meciendo. Y gritando. Y grito tan fuerte que me desgarro el corazón. No puedo respirar. Pánico. Peso sobre mi cuerpo. Me lo tengo que quitar de encima. Apartarlo.

—Apártate. Por favor. Suéltame… Vete. Ahora. Por favor —sollozo—. No me hagas daño. Por favor.

Estiro las piernas y me doy cuenta de que mi cabeza está enterrada bajo un hombro.

—Te tengo. —Un acento inglés. Blake—. Estás a salvo, Abbi. Te lo prometo.

Estoy temblando. Mucho. Quiero que me suelte y que me abrace al mismo tiempo.

—No. Nunca estoy a salvo.

—Sí —me susurra al oído abrazándome con un poco más de fuerza. Yo lo tengo cogido de la camisa con la misma fuerza con la que me abraza él—. Te prometo que conmigo siempre estarás a salvo.

Trago saliva, cierro los ojos e intento recuperar el control de mi respiración como me ha enseñado a hacer la doctora Hausen. Inspiro hondo, cuento hasta tres. Suelto el aire, despacio. Tomo aire de nuevo y lo suelto poco a poco.

—Nunca estaré a salvo —susurro con la voz ronca—. Lo de fuera nunca me podrá lastimar más que lo que llevo dentro. Tú no puedes entenderlo.

—Ya lo creo que lo entiendo. —Deja escapar un suspiro tembloroso—. Lo entiendo mejor de lo que tú te crees.

—No. Nunca lo entenderás.

Me suelta y me coge de la cara con ambas manos. Abro los ojos. Estamos el uno frente al otro. Yo sigo cogiéndolo de la camisa y él me pasa los pulgares por debajo de los ojos para limpiarme las lágrimas.

—Ya sabes que Tori murió. Lo que no sabes es que yo estuve presenciando como se hacía cortes cada vez más y más profundos hasta que lo consiguió. —Le tiembla la voz—. Y yo no hice nada para detenerla, porque todo el mundo me hizo creer que lo hacía para llamar la atención. Llevo diez años viviendo con esa culpa. Y antes prefiero morir que quedarme mirando cómo tú haces lo mismo.

Al percibir el dolor en su voz empiezo a llorar otra vez, y entonces recuerdo y comprendo. Lo entiendo porque yo estuve muy cerca. Demasiado cerca. Estuve a unos cuantos minutos, pero Maddie me encontró.

—Salvarme no te la devolverá —suelto—. No te resultará más fácil y no te ayudará a olvidarlo. No me salves para compensarte por no haberla salvado a ella. No soy un proyecto.

—Yo nunca he dicho que lo fueras. —Baja la voz, es casi un susurro. Luego me posa una mano en el pelo y desliza los dedos por entre mis mechones—. No estoy intentando salvarte porque no pude salvarla a ella. Estoy intentando salvarte porque no creo que pueda soportar perderte a ti también.

Se le llenan los ojos de lágrimas; nunca lo había visto tan vulnerable. Imagino el aspecto que debemos de tener en este momento, agachados en el suelo de la cocina, temblando los dos. Llorando. Los dos estamos rotos y, sin embargo, nos abrazamos como si eso fuera lo único que pudiera recomponernos.

—No pienso quedarme mirando cómo lo haces tú también. Tú eres mucho más fuerte. Eres mucho más fuerte que ella, Abs. —Me vuelve a limpiar las lágrimas con el pulgar—. Tú eres todo lo que yo deseaba que fuera mi hermana y mucho más, tanto que por mucho que intentes apartarme de tu vida no me pienso marchar. Esa oscuridad que llevas dentro, ese vacío que tira de ti, te juro que no pienso dejar que caigas en ese pozo.

No pienso dejar que caigas en otra parte que no sea entre mis brazos.

Niego con la cabeza porque no puedo. No pienso hacerlo. No quiero caerme en ningún sitio. En absoluto. Porque caer significa tocar fondo y tocar fondo significa dolor. Heridas. Angustia.

Y ya he tenido suficiente.

—No soy fuerte, Blake. La verdad es que no lo soy. Sigo sintiéndolo todo y todavía sigo teniendo malos pensamientos. Todavía sigo pensando en dejarme ir. La depresión es como ahogarse, como si algo tirara de ti hacia el fondo del océano mientras el resto de las personas que te rodean siguen nadando y respirando en la superficie. Es como estar gritando en medio de un montón de gente y que nadie pudiera oírte. Es el alma de todas las pesadillas.

—Pues deja que sea yo quien te vuelva a enseñar a nadar —susurra acercándome la cara—. Deja que yo te oiga y que sea yo quien te recuerde cómo vivir.

Me estremezco y noto cómo se me apelmaza el pecho de esa forma que siempre precede al fin de la oscuridad. Le suelto la camisa, le rodeo el cuello con los brazos y entierro la cara en su piel. Blake me abraza con suavidad, me estrecha con fuerza y se mueve hasta que acaba apoyado en la pared y yo sentada encima de él.

Todavía lo siento. Quiero sentir el dolor. Quiero notar la cuchilla afilada deslizándose sobre mi piel. Quiero conseguir el alivio que me da. Hasta que Blake me da un beso en la sien y mi corazón late. Con fuerza. Y me recuerda que sigo viva.

Y lo único que siento es a Blake. Cómo me rodea con los brazos. Mi piel contra la suya. Su aliento en la oreja. La fuerza con la que me estrecha, tanta que rivaliza con el lazo de la depresión.

El repentino recordatorio de que el dolor no tiene

por qué equivaler a sentir. Puedo vivir sin hacerme daño. Puedo vivir sin el dolor.

Entierro los dedos en su pelo y él agacha la cara hacia mí incluso a pesar de que yo la tengo pegada a su cuello. Me coge de la barbilla y me levanta la cara. Nos miramos a los ojos y veo que las lágrimas que ha derramado le han resbalado por las mejillas.

—No lo necesitas. Te lo prometo. Eres mucho más que eso. No dejes que eso destruya a la persona que conozco —susurra, y le tiembla el labio—. Déjame ayudarte, Abbi. Y no por lo de mi hermana y todo eso. Déjame ayudarte porque lo necesito.

—Yo no puedo reemplazarla.

—Ya lo sé. No quiero que la reemplaces. Quiero que seas tú. No quiero otra hermana. Te quiero a ti. Y punto. No quiero que sigamos esquivando el tema de lo que hay entre nosotros. Te quiero a ti y todos y cada uno de tus pedacitos, siempre que tú creas que serás capaz de manejar los míos.

—No lo sé.

—Inténtalo. Porque yo no pienso dejar de intentarlo.

Y no lo pongo en duda. No ha dejado de intentarlo desde que bailamos juntos por primera vez, y sus ojos me prometen lo mismo que sus palabras. Así que no me importa lo mucho que me asuste, me da igual las ganas que tenga de esconderme, le doy lo que merece. Le doy lo que, en el fondo, yo también deseo.

—Lo intentaré.

Porque entre todo el caos y el dolor que nos une, él es la luz de mi oscuridad.

Blake

*P*arece tan pequeña entre mis brazos.

Le tiembla todo el cuerpo y tiene la respiración acelerada. Tengo la camiseta empapada de sus lágrimas, pero me da igual. Lo único que me importa es lo que acaba de decir. Dos palabras que lo significan todo para mí.

Dos palabras que tienen el gran poder de cambiarlo todo.

Entierro los dedos en su pelo, inspiro hondo y la abrazo con más fuerza. No quiero decir lo que estoy a punto de decir. Ni siquiera me apetece pensar en ello, pero tengo que hacerlo. Quiero que ella entienda que lo sé. Que sepa que conozco el dolor que siente incluso aunque no lo comprenda.

Necesito que entienda que yo necesito tanto su corazón roto como ella me necesita a mí.

—Tori y yo éramos inseparables. Bailábamos juntos casi cada día, tanto si teníamos clase como si no, y cuando yo tenía ocho años, teníamos un sueño. Nos prometimos que cuando fuéramos lo bastante mayores nos marcharíamos de Londres, volaríamos hasta Nueva York, e iríamos a Juilliard. Siempre pensé que ella iría primero, porque tenía cuatro años más que yo, pero Tori insistía en que me esperaría. Decía que se pondría a trabajar y ahorraría todo lo que ganara para que pudiéramos venir, y que si las cosas salían mal, se quedaría a ver cómo yo me comía el mundo en la universidad. —Trago saliva sintiendo el pinchazo de dolor que noto siempre que hablo de esto—. Era mi mejor amiga y mi hermana, y eso volvía locos a mis padres. Odiaban que yo estuviera más unido a ella que a mi hermano, mi único hermano. Mi padre soñaba con ir a ver cómo sus hijos jugaban al fútbol los fines de semana para poder presumir delante de sus amigos. Pero mi relación con Tori destruyó ese sueño. Yo nunca sería el chico duro que mi padre pretendía que fuera en el terreno de juego. Yo siempre sería el afeminado que se subía a un escenario.

—Blake —susurra Abbi agarrándose a mi camiseta con más fuerza.

—Pasábamos horas y horas haciendo planes. Dónde viviríamos, dónde trabajaríamos, lo que veríamos. Tori dijo más de una vez que seríamos como turistas que se quedaban a vivir en la ciudad. Yo estaba impaciente. Lo único que quería en el mundo era lograr ese sueño con mi persona favorita. Pero nunca llegaría a ocurrir.

»Si entonces hubiera sabido lo que sé ahora, me habría esforzado más en conseguir que hablara conmigo. Si hubiera sabido que la perdería solo cuatro años después, nunca me habría despegado de ella. Y, desde luego, jamás habría hecho caso a mis padres cada vez que negaban las evidencias de la depresión. Para ellos era un tema tabú, algo de lo que no se podía hablar, y les parecía imposible que su niña perfecta estuviera padeciendo esa enfermedad. Era imposible que estuviera sufriendo acoso en la escuela privada para chicas donde la habían matriculado. A sus ojos, Tori solo estaba intentando llamar la atención.

»Yo la ayudaba a ocultar las pruebas. Cuando se pasaba la noche llorando decía que era cosa de la regla o una película triste o un programa de televisión. Incluso un capítulo triste de su libro preferido. Cada corte y nueva marca que aparecía en su cuerpo se disfrazaba de alguna herida que se había hecho bailando, jugando al *hockey* o lo que fuera. Siempre tenía una excusa para justificarlos, y yo nunca le pedí explicaciones. Yo solo tenía doce años. No tenía ningún motivo para pensar que me mentiría. Incluso cuando me pedía que no se lo contara a mi madre, yo nunca le preguntaba por qué. No estaba ciego, aunque yo era la oveja negra de la familia, ella era la chica de oro, pero mis padres nunca se preocuparon lo suficiente como para escucharla.

—Blake...

—Yo la encontré. —Guardo silencio un momento y me trago las lágrimas que brotan de mi garganta al recordar—. La encontré en su habitación, estaba hecha un ovillo sobre la cama manchada de sangre. Se había destrozado los brazos, pero esos cortes no eran nada comparados con el que se había hecho en el muslo. Tori sabía lo que hacía: el informe del forense aseguraba que se había cortado la arteria principal. Esa es la imagen que me viene a la cabeza cada vez que la recuerdo. La veo rodeada de sus muñecos de peluche, recuerdos de la niña que fue en su día. Veo el trabajo de arte que estaba haciendo para el colegio esparcido por el suelo de su habitación, y el cuchillo que había utilizado para hacerse los cortes. Y lo peor, lo que más me obsesiona, es que la veo abrazada a sus zapatillas de *ballet*.

»Ella sabía lo que ocurriría. Nunca fue una llamada de atención, ese no era el caso de Tori. Siempre era algo muy real. Y lo peor de todo es que aquella tarde no tendría que haber estado sola. Jase tenía partido de fútbol, era la final de una competición local, y papá insistió en que fuéramos todos. Tori consiguió quedarse en casa porque tenía que estudiar para los exámenes finales, pero a mí me obligaron a ir. Y lo hice. Me fui con mi familia y eso fue lo que me encontré cuando regresé. Se suponía que la última imagen que debería tener de mi hermana mayor sería la de los dos bailando juntos en Juilliard, pero en realidad lo que veo es su cadáver.

Abbi me abraza con fuerza. Extiende los dedos sobre mi espalda como si estuviera intentando recomponer todos mis pedazos.

—Y nadie se atreve a hablar de ella. Solo yo. Yo soy el único que recuerda que alguna vez existió. Y eso me mata.

Cierro los ojos cuando las lágrimas que llevo reprimiendo todo este tiempo resbalan por mis mejillas. Se deslizan en silencio, no tienen nada que ver con las lágrimas que derramé el día que encontré a Tori. Aún los puedo oír: mis gritos pidiendo ayuda, mis sollozos desconsolados, el ajetreo de mis padres, el llanto de mi madre, Kiera intentando tranquilizar a los más pequeños. Y por encima de todo oigo un grito interminable preñado de un dolor que jamás creí posible. Mi grito. El que tenía que ver con mi relación con Tori, el vínculo que se rompió en cuanto vi su cuerpo destrozado e inerte.

Abbi me estrecha con fuerza.

—Lo siento.

—No lo sientas. No fuiste tú quien tomó esa decisión, ¿verdad? Fue ella. Nadie puede disculparse por sus errores.

—No, no lo decidí yo, pero estuve a punto de hacer lo mismo.

Sus susurros están amortiguados, y estoy seguro de que no la habría oído si no fuera porque estaba apoyada contra mi hombro.

—¿Qué?

Abbi inspira hondo y se echa hacia atrás. Se desliza los dedos por debajo de las mangas y se las sube hasta los codos, luego hace lo mismo con los pantalones del chándal y se los sube hasta las rodillas. Después se levanta la camiseta, me enseña la tripa y deja caer la cabeza.

Yo paseo los ojos por su piel. Está casi toda cubierta por cicatrices blancas, largas y cortas, profundas y superficiales, y no puedo evitar alargar los brazos hacia ella. Le paso los dedos por los brazos, las piernas y el estómago, y siento hasta la última ondulación de su piel.

—Casi —susurra deteniendo mis manos sobre su estómago—. Pero sé por qué lo hizo Tori. Lo entiendo. A veces es demasiado. A veces… —Inspira hondo—. A veces no basta con un corte. Es adictivo. La liberación que sientes, aunque sea por un momento, es como una droga. Cuando empiezas no puedes dejar de hacerlo, y lo repites una y otra vez. Tori sabía lo que hacía, y yo también. Yo no quería seguir sufriendo, no quería seguir dejando que me hicieran daño, pero ya era demasiado tarde para escapar, así que elegí la salida fácil. La de los cobardes. Yo solo quería ser feliz, quería tener una vida donde él no me controlara. No quería vivir pensando cuándo sería la próxima discusión o la siguiente pelea, pero ya estaba demasiado atrapada para escapar. Estaba demasiado destrozada y era demasiado débil siquiera para seguir peleándome con él. Y no quería esa vida.

»Si Maddie no me hubiera encontrado, ahora no estaría aquí. Yo intenté hacer lo mismo que Tori, dar con las arterias principales y sangrar. Pero no acerté. Cuando desperté me dijeron que me había quedado a solo un centímetro. Si me la hubiera cortado, Maddie no hubiera podido salvarme. Habría sido demasiado tarde.

Él. Discusión. Pelea.

—¿Quién es «él»?

Tengo los brazos tensos. Pensar que alguien, cualquiera, le haya podido hacer tanto daño que ella pensara en quitarse la vida, me provoca una ira que no sabía que podía sentir.

Abbi entrelaza los dedos con los míos.

—Él ya no importa. Ya no me puede hacer daño. Yo soy la única que puede hacerlo.

—Puedes, pero no lo harás. —Le bajo la ropa para taparle las cicatrices y la miro a los ojos—. Si te duele, quiero saberlo.

—No es la clase de dolor que puedas aliviar tú.

—No, pero puedo pasarlo contigo. Puedo estar ahí y abrazarte siempre que lo necesites. Ya no tienes por qué seguir haciendo esto sola, Abbi.

—Nunca he estado sola —susurra—. Cuando salí del hospital no me vine a casa. Me enviaron a un centro psiquiátrico. Solo hace seis semanas que he vuelto a casa.

Mierda.

La estrecho con fuerza. Lo único que quiero hacer es abrazarla.

—Me ingresaron allí para que no lo volviera a hacer. Para que no pudiera recaer.

—¿Y lo habrías hecho? Si hubieras venido a tu casa, ¿lo habrías vuelto a intentar?

—No lo sé. Es posible. —Se encoge de hombros y apoya la cabeza sobre mí—. Tengo la sensación de que ha pasado mucho tiempo desde el año pasado, pero recuerdo que incluso entonces ya pensaba que no acerté por algún motivo. Si hubiera tenido que ocurrir, si era mi destino, hubiera encontrado la arteria a la primera o Maddie no me habría encontrado. Ese centímetro me salvó la vida.

Me inclino y le doy un beso en la cabeza.

—Me alegro muchísimo de que te saliera mal.

Abbi me abraza y encoge las piernas. Luego vuelve la cabeza hacia mi pecho.

—Yo también.

Cuando intento moverme noto un intenso dolor en el cuello y me da un calambre en la pantorrilla.

—Mierda —murmuro frotándome el cuello y la pierna al mismo tiempo.

Este es el motivo de que no se deba dormir en un sofá,

en especial si solo tiene dos plazas y tú mides un metro ochenta y dos. Es como intentar que una cama hinchable vuelva al tamaño que tenía cuando salió de la caja.

Un grano en el culo.

Me doy la vuelta en el sofá de Abbi y me froto los ojos. Cuando los abro, me la encuentro sentada en el suelo con las piernas cruzadas y un libro abierto sobre el regazo. Tiene el pelo suelto sobre los hombros y, por primera vez desde que la conozco, no lleva manga larga. El top y los pantalones que lleva dejan sus cicatrices al descubierto, incluso a pesar de la tenue luz de la mañana.

Me apoyo sobre un codo.

—¿Es bueno?

Abbi se aparta el pelo de la cara y ladea la cabeza para mirarme.

—Eso depende de lo que entiendas por «bueno» a las seis de la mañana.

—Ah, claro. —Me paso la mano por la cara—. No hay nada que se pueda considerar bueno a las seis de la mañana.

Ella sonríe un poco.

—Es mi diario. De San Morris… El hospital psiquiátrico.

—Ah. —Me siento—. No creo que eso sea literatura ligera.

Abbi suelta una pequeña carcajada.

—La verdad es que no. —Cierra el libro y pasa el dedo por la tapa—. No lo había vuelto a leer desde que me marché. Lo metí en un cajón cuando regresé a casa y se quedó allí. No quería leerlo. Pensaba que era lo más estúpido y absurdo del mundo, que escribir un diario no me ayudaría a mejorar. La doctora Hausen, mi psiquiatra, me obligó a hacerlo. Me dijo que aunque solo escribiera una línea sobre cómo me sentía, el diario me ayudaría.

—¿Y te ayudó?

—No. —Se ríe con tristeza—. Cada noche me sentía

como una idiota porque no me había ayudado nada, pero se suponía que no tenía que ayudarme. No era el momento. No me había dado cuenta hasta que he empezado a leerlo esta mañana.

—Igual te parezco un idiota, pero no te sigo.

Abbi me mira a los ojos.

—La intención del diario no era ayudar a que me sintiera mejor. La doctora Hausen me obligó a escribirlo con la esperanza de que, algún día, pudiera leerlo y darme cuenta de lo lejos que había llegado.

—¿Y es así?

—Compruébalo por ti mismo.

Me lanza el libro, que aterriza sobre mi regazo.

Yo cojo el diario rojo de tapas duras y la miro.

—¿Estás segura? Una vez leí el diario de mi hermana, y cuando me pilló me estuvo persiguiendo con el bate de béisbol de mi hermano.

Abbi sonríe.

—Estoy segura. Ya me has visto en mis peores momentos, y no encontrarás nada en ese libro que no quiera explicarte.

—Está bien.

Lo abro por la primera página y empiezo a leer.

6 de abril

No sé por qué tengo que escribir aquí. No puedo poner por escrito cómo me siento cada día. Ni siquiera siento nada. Estoy entumecida. Todo me da igual.

12 de abril

Las últimas páginas están en blanco. ¿Por qué? Porque sigo sin sentir nada. ¿Cómo se puede escribir cuando no se tienen sentimientos?

18 de abril

Mamá y papá no dejan de venir. Maddie sigue viniendo.

Pearce no ha venido. No sé por qué me molesta. Puede que no me moleste. No lo sé.

Solo quiero que todos me dejen en paz. Ojalá Maddie no me hubiera encontrado.

22 de abril

Maddie se marcha. A California. A vivir el sueño loco que teníamos de niñas. Ella lo va a hacer y yo me voy a quedar aquí atrapada. Hoy siento. Por fin. Y estoy enfadada porque debería irme con ella. Por lo menos la doctora Hausen se alegrará de saber que por fin siento algo.

30 de abril

Terapia de grupo. Es una mierda. Ninguno de los demás pacientes sabe por lo que estoy pasando, ni lo que recuerdo. Ninguno de ellos es como yo. Están todos locos, de atar. Y yo no. Yo solo guardo silencio, lo que quiero es estar sola. Me encantaría que me dejaran en paz.

—No se puede decir que te integraras en la rutina diaria, ¿no?

Sonrío.

—No. La cosa fue mejorando al final, pero al principio no me interesaba. Para ser sincera, no me interesaba nada. Estaba demasiado metida en mi mundo de dolor y angustiada por los recuerdos. Todavía eran demasiado recientes... Demasiado reales como para pensar en otra cosa. —Hace un gesto en dirección al libro—. Lee todo lo que quieras.

No me pasa por alto que baja la voz hasta convertirla casi en un susurro, o cómo se estira de las pielecitas que tiene alrededor de las uñas. Miro el diario abierto que tengo entre las manos, lo cierro y lo tiro al suelo.

—No necesito leerlo.

Abbi levanta la cabeza.

—Por muchas ganas que tenga de saber cosas sobre

ti, esperaré a que me las cuentes tú cuando estés preparada. No quiero presionarte.

Me mira con sinceridad durante un momento antes de levantarse y sentarse a mi lado en el sofá. Yo estiro el brazo y ella se acurruca a mi lado y apoya la cabeza en mi pecho.

—Gracias —susurra—. Por no juzgarme por las cicatrices.

—Yo nunca te juzgaría por tus marcas o por tu fortaleza.

—Tu forma de verlas es muy distinta.

Le cojo la mano, entrelazo los dedos con los suyos y le acaricio el reverso de la mano con el pulgar.

—Un día espero que te mires al espejo y veas lo mismo que yo.

—Me conformaré si llega el día en que puedo mirarme al espejo sin ver a una chica destrozada —dice con tristeza, y ladea la cabeza para mirarme—. ¿Y qué pasará si es demasiado, Blake? ¿Y si todo lo que ha sucedido en mi pasado sumado al tuyo nos supera? ¿Qué pasará si cuando me mires ves a Tori, o si lo que sea a lo que me esté enfrentando se parece demasiado a lo que pasó ella? ¿Y si...? —Traga saliva—. ¿Y si los dos hemos sufrido tanto que acabamos rompiéndonos el corazón el uno al otro?

—Oye. —Agacho la cabeza y la abrazo—. Esas son demasiadas dudas, Abs. No sabes si pasará nada de eso y, si ocurre, tendremos que cruzar esos puentes cuando lleguemos. No tiene sentido preocuparse por cosas que podrían pasar, pero quizá no lleguen a ocurrir nunca. Además, no se puede romper algo que ya está roto. Si seguimos estando un poco rotos, nos irá bien.

Sonríe a pesar de las dudas que veo en sus ojos, y se le ilumina toda la cara.

—Supongo que es una forma de verlo.

Yo le devuelvo la sonrisa, le suelto la mano y la coloco suavemente en su nuca.

—No —murmuro acercándola a mí—. Es la única forma de verlo.

La beso con delicadeza. Ella cierra el puño de la mano encima de la manta que tengo arrugada sobre el regazo, y suspira en mi boca.

—En cualquier caso, debería huir de cualquier chico que intentara tocarme —reflexiona Abbi—. Pero no siento la necesidad de hacerlo. No tengo ningún miedo de lo nuestro.

—¿Alguna vez te ha dado miedo?

—He tenido miedo de la relación. No tenía miedo de ti. No creo que nunca haya sentido la necesidad de temerte.

—Bueno, eso me deja más tranquilo.

Me río.

—Oh, cállate.

Se ríe conmigo.

Le aparto un mechón de pelo de la cara y recuerdo la segunda vez que nos vimos.

—Supongo que a fin de cuentas yo tenía razón.

—¿En qué?

—En mi supuesta frase de ligón.

—Oh, Dios.

—Sí. —Le paso el pulgar por el labio inferior—. No se puede pelear contra el destino.

Abbi cierra los ojos un segundo y se pasa un dedo por el muslo repasando el lugar donde, imagino, tendrá la cicatriz. Cuando los abre, me mira fijamente, con los ojos llenos de emoción.

—No. Supongo que no.

Ha sido una bendición pasar dos días sin mi madre. Esta mañana tenía la esperanza de que no me llamara, por primera vez en la vida, esperaba que no lo hiciera. Después de haberla oído contar cómo papá estaba intentando presionar a Jase para que trabajara con él a pesar de saber que eso no es lo que quiere hacer él, me hizo darme cuenta de lo agobiante que era mi vida en Londres. No me había dado cuenta del todo hasta que no experimenté la verdadera libertad. Con un poco de suerte, a Jase también le llegará su oportunidad.

Pero de momento, mi libertad está en espera, porque mi madre sí que me llamó. Y me pidió que me presentara en su hotel de inmediato.

Bueno. Puede que no lo dijera exactamente de esa forma, pero podría haberlo hecho. La decepción que le teñía la voz fue un detalle suficientemente indicativo de lo divertida que iba a ser nuestra conversación.

Llamo a la puerta de su habitación y me meto las manos en los bolsillos mientras espero a que conteste. Aparece algunos minutos después con una copa de vino en la mano.

—Me alegro de que hayas encontrado un hueco para venir —dice mi madre adentrándose de nuevo en su habitación.

—La verdad es que por tu tono no parecía que tuviera muchas más opciones. —Cierro la puerta de un codazo—. ¿Qué pasa?

—No quiero que te tomes a mal lo que te voy a decir, Blake, pero creo que deberías volver a casa.

Me la quedo mirando, inmóvil, durante un buen rato antes de hablar.

—Lo siento, me parece que no te he oído bien.

Mamá suspira y deja la copa en la mesa.

—Creo que sería mejor que volvieras a casa con nosotros. He hablado con Yvette esta mañana y dice que, si quieres, tiene un trabajo para ti.

—No. —Niego con la cabeza y me cruzo de brazos—. Yo vivo aquí, mamá. Nunca te había preocupado dónde viviera, ¿por qué de repente te importa tanto?

—Eso no es verdad —protesta—. Ya sabes que el trabajo me tiene muy ocupada. Seré sincera contigo, hijo, la verdad es que no pensaba que fueras a quedarte tanto tiempo. Pensaba que volverías en un par de semanas.

—¿Te das cuenta de que soy un adulto y, por lo tanto, completamente capaz de cuidar de mí mismo?

—Sí, sí, ya lo sé. —Suspira con fuerza y se frota las sienes como si ya estuviera agotada de la conversación—. Es que no sé si Nueva York es lo que más te conviene.

Y entonces todo encaja.

—Esto es por Abbi, ¿verdad?

Mi madre no contesta, en lugar de hablar se pone a hacer la maleta.

—¿Verdad? —Levanto la voz. Ella vacila durante el tiempo suficiente como para que yo lo entienda todo—. Increíble. Incluso para ti, mamá, esto es increíble.

—No es la clase de chica con la que esperaba que acabara mi hijo. Aunque tampoco esperaba que fueras bailarín.

—Ya lo entiendo. De verdad. Soy una decepción y todo eso, pero no comprendo qué tiene que ver Abbi con todo esto.

—No es lo bastante buena para ti.

—¿Qué? —pregunto con un grito divertido—. ¿Y por qué piensas eso? ¿Es que no tiene suficiente dinero o es que no está bien relacionada socialmente?

—No tiene nada que ver con eso.

—¡¿Y entonces cuál es el problema?!

—Está… —Mamá cierra la maleta y se vuelve hacia mí—. Está enferma, Blake. No es justo que cargues con eso. Ya sabes lo que ocurre con las personas como ella…

—¿Personas como ella? —Niego muy despacio con la cabeza y levanto los brazos—. ¿Qué significa eso exactamente?

—Ya sabes qué significa.

—¿Qué quieres decir?, que como mi hermana se suicidó y Abbi tiene depresión, ¿eso significa que ella también lo hará? ¿No crees que no deberías meter a todo el mundo en el mismo saco?

Mi madre inspira hondo.

—Esto no tiene nada que ver con tu hermana.

—Nada tiene que ver con ella, ¿verdad?

—Blake.

—No, mamá. Claro que tiene que ver con Tori, porque si no, no tendrías ningún problema con una chica a la que solo has visto una vez. No sabes nada sobre Abbi y, sin embargo, crees que la puedes juzgar solo porque tiene depresión. ¿Por qué? ¿Porque no se esconde? ¿Porque acepta que está enferma? ¿Qué es lo que te molesta tanto en realidad?

—Me cuesta mucho que tengas algún interés por esa chica aparte de que quieras salvarla porque ninguno de nosotros salvó a Tori —espeta.

—Y ahí está otra vez —murmuro frotándome la cara con las manos—. No es por Tori. Puede que ese sea el motivo por el que me sintiera atraído al principio, pero cuando miro a Abbi solo veo a Abbi. No veo a Tori, no tiene nada que ver con el pasado. Veo a Abbi y el futuro. Lo entiendes, ¿mamá? No veo las debilidades que tenía Tori, ni cómo ella tiró la toalla. Veo a una chica que acepta lo que le ha tocado pasar y se enfrenta a ello, veo a alguien con un sueño y unas ganas de vivir que Tori no tenía. Abbi quiere vivir y yo la quiero ayudar. Y lo quiero hacer por ella. Por nadie más.

Mamá se queda callada un momento.

—Viniste aquí por Tori.

—Te equivocas. Vine aquí por mí. No me marcharé porque le hice una promesa, pero vine por mí.

—Estás cometiendo un error, Blake.

—Me parece que ya tengo edad para decidirlo por mí mismo —le contesto con frialdad—. Lamento que no me interesara lo suficiente la carrera de Derecho como para ponerme a trabajar con papá, o que no me atrajera ninguna de las pijas con las que llevas años intentando emparejarme. Lamento no jugar tan bien al fútbol como Jase, pero lo que más mal me sabe es que ni tú ni papá hayáis sido capaces de aceptarme como soy. Y no pienso volver a casa. Estoy haciendo mi vida en Nueva York. Tengo un trabajo, un apartamento, estoy persiguiendo mi sueño y, a pesar de lo que tú digas, tengo una chica por la que movería cielo y tierra si fuera necesario. Si el hecho de que sea feliz te resulta decepcionante, entonces el problema es tuyo, mamá. —Me miro el reloj—. Y ahora, si me perdonas, debo marcharme. Me tengo que ir a trabajar.

Ignoro sus gritos sorprendidos, cómo me llama chillando mi nombre, y desaparezco por el pasillo en dirección al ascensor. Las puertas se cierran ante mí y yo suelto el aire y relajo los hombros.

Cielo santo.

Debería haber hecho esto hace muchos años.

Abbi

Deslizo los dedos por la costura del maillot de manga corta que llevo dos años sin ponerme. Ni siquiera sé si me vendrá bien ahora.

Inspiro hondo y me quito la ropa dispuesta a ponérmelo. Aunque solo me lo ponga para bailar en casa, ya será algo, y es mucho más de lo que habría hecho antes.

Me pongo derecha y me veo reflejada en el espejo. Cierro los ojos. Mi primera regla es no cambiarme nunca delante del espejo, no ver las marcas que tengo repartidas por todo el cuerpo, pero esta vez las cosas parecen distintas. Tengo la sensación de que podré abrir los ojos y mirarlas por primera vez.

Y lo hago.

Paseo los ojos por mi delgada figura, tonificada gracias a la danza, y observo cada rincón, todas y cada una de las marcas y las cicatrices que me estropean la piel. Las observo todas y las examino como si pudiera recordar cuándo me hice cada una de ellas. Las últimas son las que más se ven, son más blancas, más gruesas y más abultadas que las demás.

Cada una de ellas explica una historia, cada una es una escena de uno de los horribles capítulos de mi vida que no puedo borrar.

Las observo con atención, desde los brazos hasta las piernas. Y por fin las acepto por lo que son.

Cicatrices de guerra.

No importa lo feas que sean o lo mucho que me avergüence de ellas, no importa que intente esconderlas o trate de negar su existencia, esa es la conclusión. Esa es la verdad básica de la que nunca podré escapar.

Son cicatrices de guerra, y aparecieron en un momento en el que estuve luchando por mi vida. Son las marcas que me recuerdan que, incluso ante el verdadero dolor, fui capaz de mantenerme fuerte y seguir luchando. Fui capaz de seguir enfrentándome a cada nuevo día, a pesar de mis miedos y mis preocupaciones, pero lo hice.

Y eso es lo único que es ahora mi depresión. Otra cicatriz de guerra. Una cicatriz silenciosa que no podré enseñar nunca, solo la puedo ver yo, pero sigue siendo una cicatriz. Y al igual que ocurre con las demás, esta también desaparecerá.

Depresión: es el nombre con el que se define la capacidad que tiene uno de enfrentarse al mundo exterior cuando todo se desmorona por dentro.

Meto las piernas en el maillot y me lo subo por el cuerpo. La tela se desliza por mi estómago y me pongo las mangas para tirar de él hasta arriba. Y me está bien. Me queda igual de bien que hace dos años, y el contraste de la licra negra sobre mi piel pálida es más llamativo de lo que recordaba. Reculo un poco sin dejar de mirar mi reflejo, y me paro. Mi pelo cae en cascada por encima de uno de mis hombros y, si no fuera por el color oscuro, casi diría que estoy mirando a la antigua Abbi.

Pero no es verdad, y nunca volverá a ser así. Me estoy viendo a mí, a mi nuevo yo, la Abbi que siempre debí ser. Esa versión de mí que a pesar de estar rota y dolida, sigue, de alguna forma, aferrándose a la vida.

De alguna forma.

Me toco la mejilla con el dedo y me doy cuenta de que no es así. No me estoy aferrando a la vida en sí misma, solo a las pequeñas cosas que valen la pena.

A mis padres. A Maddie. A la danza. A Juilliard. A Blake.

Y no me tengo que aferrar a todos ellos, solo a una pequeña parte. Y mientras me pueda agarrar a una pequeña parte de ellos, podré seguir aferrándome a la vida. Solo necesito recordar las cosas por las que merece la pena vivir, y eso es el centro de todo. Esas son las cosas alrededor de las cuales gira mi mundo, incluso aunque Blake haya conseguido colarse en mi vida con la destreza de un guerrero ninja.

Si puedo aferrarme a ellos, me puedo agarrar a la vida. Y al enfrentarme a la sinceridad de mis cicatrices, sé que podré hacerlo.

Porque soy fuerte.

No soy una sombra de la persona que era.

Ella es una sombra de mí.

Noto las manos cálidas de Blake en mi estómago cuando me levanta de mi *plié* y me sube sobre su hombro. Tengo los brazos en quinta posición, levantados y curvados por encima de la cabeza, y la espalda completamente recta. Esta posición es muy incómoda, creo que estaría más cómoda sentada encima de un montón de brasas ardientes, para ser sincera, pero es vital para nuestra coreografía.

Inspiro hondo cuando noto los cambios en el cuerpo de Blake y él me suelta para que yo adopte la postura del pescado. Me agarra del muslo y me sostiene con fuerza mientras giramos; yo tengo todo el cuerpo extendido. Me va bajando poco a poco mientras gira a un ritmo casi glacial, y yo me coloco en *arabesque* con la pierna extendida hacia atrás. La bajo y extiendo el cuerpo mientras Blake me posa las manos en el estómago y me coge de la mano para iniciar el *promenade*. Yo voy contando sus giros y, cuando llega al quinto, me suelta para que haga el *fouette* hasta hacerle un agujero al suelo.

Me detengo cuando se acaba la sección *adage* de nuestra coreografía y lo miro. Es la primera vez que lo veo bailar de verdad. La primera vez que me he permitido observarlo de verdad, y estoy fascinada. Sigo todos sus movimientos con los ojos, su forma de bailar es fluida y precisa. Cada paso, la posición de sus brazos, los giros, los saltos, cada segundo de su forma de bailar es precioso. Me tengo que esforzar para seguir mirándolo mientras sigo aquí de pie. Lo que me gustaría hacer es tirarme al suelo para verlo bailar, como si fuera una niña que mira la televisión.

Y él ni siquiera lo sabe. Está tan perdido en sus movimientos, tan concentrado en lo que está haciendo, que apuesto a que ni siquiera puede sentir mi mirada ni se ha dado cuenta de que lo estoy quemando con los ojos.

Se para, su variación termina, y abre los ojos muy despacio. Cuando ve que lo estoy mirando sonríe y yo clavo los ojos en el suelo.

Por lo menos estoy de pie y no sentada como una idiota.

Me incorporo al baile con la facilidad de alguien que lleva haciendo esos pasos toda su vida. En realidad, me los inventé ayer por la noche. Bajé al garaje con mi maillot de manga corta después de que Blake se marchara a trabajar, y me dejé llevar. Y esta coreografía, llena de *bourreés*, *coupés*, y uno de mis pasos preferidos, el *échappe sauté*, es una coreografía que sale de mi corazón. Cuenta una historia de desesperación salpicada de momentos fugaces de verdadera felicidad, empieza despacio y va ganando velocidad hasta llegar a la sección *coda* de la coreografía, cuando Blake se integra de nuevo.

Esta coreografía es fácil. Verdadera. Real. Libre.

Esta coreografía es lo que siento cuando bailo.

Todo lo que quiero llegar a ser.

Blake me coge de la mano y tira de mí, cosa que indica el comienzo de la *coda*, y yo apenas parpadeo mientras bailamos uno pegado al otro. Solo hace unas cuantas semanas que bailamos juntos, pero parece que haga mucho más tiempo. Después de este fin de semana sé que lo que hay entre nosotros es mucho más que un *pas de deux*. Y lo que compartimos fuera de clase refuerza lo que compartimos dentro.

Blake conoce todos mis movimientos y se acopla sin pensar, incluso cuando improviso y cambio un paso sobre la marcha. Él no se detiene, no dice nada y no se enfada. Se limita a cambiar de dirección y a seguirme.

Luego me vuelve a coger de la cintura, con fuerza y determinación, y yo me suelto cuando él me levanta. El explosivo movimiento culmina en un *grande jeté*, y salto con las piernas completamente estiradas mientras Blake me eleva en el aire. Aterrizo con los pies en el suelo y flexiono las rodillas. Blake me pasea las manos por la cintura, sigue por mis brazos hasta llegar a mis manos y yo me pongo *en pointe* arqueando la cabeza y dejándola colgar hacia atrás. Tengo los brazos extendidos hacia los lados, y lo único que evita que me caiga hacia atrás es que Blake me tiene cogida de los dedos.

Me da un beso, ha sido apenas un roce, y me lanza hacia arriba. «Eso no estaba en la coreografía original».

Yo me alejo girando de él, me paro un momento y vuelvo. Tiene los brazos extendidos hacia mí, me mira fijamente y yo salto hacia él. Entonces poso las manos sobre sus hombros tal como hice aquella vez en el garaje de mi casa, él me coge de la cintura, y me lanza hacia arriba. Nuestras caras están tan pegadas que puedo sentir su aliento en los labios y sonrío. Separo las piernas, mantengo la postura un buen rato y luego le rodeo la cintura.

Él se ríe por lo bajo extendiendo los dedos de las manos en mi espalda. Yo sonrío, agacho la cabeza y le rodeo el cuello con los brazos.

—Esto no estaba en la coreografía —susurra sin dejar de reír.

Yo niego con la cabeza sonriendo y le doy un beso.

Hace tres semanas era incapaz de acercarme lo suficiente a él para que bailáramos juntos.

Me asustaba. Era demasiado para mí. Hace tres semanas, me marché de clase porque todo parecía un desastre.

Ahora que estoy abrazada a él, y él me está abrazando a mí, todo parece perfecto.

—No me habías dicho que pensabas cambiar la coreografía.

—Tú tampoco.

Blake se vuelve sonriendo.

—Para que lo sepas, me gusta mucho el nuevo final.

Yo pongo los ojos en blanco.

—No me extraña.

—¿Qué? —Deja un cuenco de plástico lleno de palomitas en la mesita y se deja caer en el sofá—. ¿Qué esperabas que pensara un chico?

—La verdad es que no lo sé.

La tristeza me tiñe la voz.

Él echa la cabeza hacia atrás y me mira.

—Me gustaría saber por qué eso parece una respuesta sincera en lugar de sarcástica.

—Suena sincera porque lo es. —Sonrío con tristeza y me quito una pelusa de los vaqueros—. No sé muy bien qué esperar. Él… Pearce… Le dio un nuevo significado a la frase «siempre hay que esperar lo inesperado». Él se apropió de mis expectativas y me hizo sentir que me equivocaba.

—Esto no me va a gustar, ¿verdad? —murmura

Blake cogiéndome la mano y entrelazando sus dedos con los míos.

—Probablemente no —admito—. Pero... quiero que sepas... Si algo de lo que te voy a contar cambia lo que sientes, no me ofenderé si...

Me agarra de la barbilla y me levanta la cabeza para mirarme a los ojos.

—Abbi, no hay nada que puedas decir que vaya a cambiar mis sentimientos. Lo que te haya ocurrido en el pasado no es más que eso: el pasado. Nada de eso cambiará lo que siento por ti.

Asiento y se hace el silencio mientras intento ordenar mis pensamientos. Con la doctora Hausen fue más fácil. Mi cerebro había bloqueado la mayor parte de los recuerdos y los fue dejando salir poco a poco. Ahora están todos fuera. Para atormentarme en cuanto les dé la mínima oportunidad.

Si me dejo.

—Supongo que debería empezar por el principio y decirte que Pearce es el hermano de Maddie. Sí. —Levanto la mano para evitar que hable—. La Maddie que conociste. Su madre murió asesinada en un tiroteo hace unos años. No era el objetivo, solo era una transeúnte inocente que estaba en el lugar equivocado en el momento equivocado. Maddie estaba con ella cuando ocurrió, y su muerte destrozó a la familia. Su padre no tiene nada que ver con el hombre que era antes, y Pearce hizo lo que hace mucha gente cuando lo pasa mal: buscó una salida para sus emociones, una forma de aliviar el dolor. En el instituto eso es fácil de conseguir, así que empezó a salir y a irse de fiesta. El alcohol pronto dio paso a otras drogas, y lo que empezó siendo algo puntual se convirtió en una adicción brutal. Cuando Maddie y yo estábamos en último curso, él ya había probado la heroína. Pero aún no estaba muy mal. O eso pensábamos y, por alguna estúpida razón, él y yo acabamos enrollándonos.

»Pensé que podría ayudarlo. Yo quería a su madre casi tanto como ellos —su muerte también me destrozó a mí—, pero me equivoqué. Aunque por aquel entonces no lo sabía. Tardé un tiempo en darme cuenta. Nuestra relación comenzó como cualquier otra, hasta que empezó a convencerme para que fuera a las fiestas con él. Maddie también venía, y fue entonces cuando nos dimos cuenta de que Pearce necesitaba la heroína para seguir viviendo. Estaba completamente enganchado, necesitaba pincharse continuamente y, si no conseguía la dosis, las cosas se ponían feas.

»Cuando estaba de bajón o de mono, era muy inestable. Era casi malvado, y lo único en lo que pensaba era en conseguir la droga. Lo mejor era no estar en medio en esos momentos. Si te interponías, sufrías las consecuencias. Te insultaba y sabía cómo pegar. —Cierro los ojos y susurro—: Y no le importaba a quién tuviera delante. Un amigo, un desconocido... Su novia.

Blake me aprieta la mano.

—Y como yo era su novia, me llevé la peor parte. Las drogas lo ponían paranoico, y estaba obsesionado con la idea de que sus amigos me querían separar de él. No sé por qué le molestaba tanto la idea, en realidad tampoco me quería para él. Yo era más bien un accesorio, algo bonito que llevaba colgado del brazo. Algo tras lo que ocultar la realidad de su vida.

»En cualquier caso, esa paranoia significaba que yo apenas me podía mover de su lado cuando estábamos en una fiesta. Cuando iba, Maddie también venía, y luego siempre me estaba dando la lata para que la dejara, así que acababa quedándome con él. Y eso significaba que yo presenciaba cada una de las etapas de su adicción. La necesidad, el cuelgue y el bajón. Yo me llevaba las consecuencias de todo. Verbales y físicas. Cuando estaba en ese estado le daba igual quién fuera yo. Lo único que quería era la droga, y es como si creyera que era yo quien se la negaba. Al principio sí que era así, pero luego me di cuenta de que no tenía sentido, porque la acababa consiguiendo de todas formas. Sin embargo, seguía pensando que podía ayudarlo. Siempre pensé que podría salvarlo de sí mismo.

Tomo aire profundamente y abro los ojos para detener las imágenes que se están proyectando en mi cabeza. Necesito cerrar la tapa de esa caja de recuerdos que se ha abierto y me está inundando de imágenes, que me está matando de dolor. Necesito parar un momento, conseguir que las palabras sean las que yo elija, y no las que decida mi pasado.

—Él tuvo la culpa de que empezaras a cortarte, ¿verdad? —me pregunta Blake con suavidad y, sin embargo, muy enfadado.

Asiento.

—El dolor de los cortes eliminaba el dolor que él me provocaba. Cuando me cortaba, no sentía el dolor de los moretones de sus puñetazos ni de sus patadas. No sentía el dolor que me provocaba la persona en la que tanto confiaba, la persona a la que creía amar y que me había partido por la mitad. Vivía siempre con miedo. Siempre tenía que estar muy pendiente de lo que me ponía, mi peinado, mi forma de actuar, con quién hablaba, los planes que hacía. Todo tenía que pasar por la aprobación previa de Pearce. No quería que ningún otro chico pudiera encontrarme atractiva ni me dejaba pasar los fines de semana con las chicas como hacía antes de empezar a salir con él.

»Maddie no dejaba de intentar recuperarme. Ella había aceptado lo que le ocurría a Pearce, ella sabía que era un adicto a la heroína sin remedio. Pero yo no quería aceptarlo y no lo hice. O quizá tuviera demasiado miedo de aceptarlo. Creo que es probable que se debiera a eso, teniendo en cuenta el miedo que le tenía. Al final dejó de intentarlo porque no sabía cómo llegar a mí. Yo es-

taba cegada por el Pearce que recordaba y por la esperanza infantil de que algún día ese chico volvería. Pero
nunca volvió.

Abro los ojos y Blake me estrecha la mano con más
fuerza. Está apretando los dientes y tiene la mirada dura.

—Lo soporté durante demasiado tiempo. Todos los
abusos... Las patadas, los puñetazos, los empujones...
Siempre lo ocultaba, y en invierno estaba encantada
porque podía ponerme jerséis para ocultar los moretones de los brazos, esos supuestos golpes que me daba al
resbalar en el hielo. Maddie era la única que lo sabía y,
aun así, tampoco podía demostrarlo. Yo jamás lo admití.
Estaba atrapada en un círculo vicioso: salía, él me pe-
gaba, volvía a casa, me cortaba. Y esa situación se fue re-
pitiendo varias veces por semana hasta que peté. Hasta
que él me destrozó.

»Sus amigos eran todos unos imbéciles, pero yo
siempre me sentí agradecida de que Jake entrara justo
cuando lo hizo. Si no hubiera llegado con la heroína que
relajaría a Pearce, estoy convencida de que aquel día habría llegado más lejos que nunca. Estaba peor que
nunca. Ni siquiera puedo decir las palabras. Ha pasado
un año y nunca llegó a hacerlo, pero todavía no puedo
decirlo.

»Y fue entonces cuando tomé la decisión. Sabía que
nunca había estado tan asustada. No podía llorar, no podía gritar, apenas podía hablar. Mis padres estaban
fuera, en un viaje de negocios, así que cogí todas las maquinillas que encontré y las pisé con el pie para sacar las
cuchillas. Me asustaba pensar que alguna podría estar
poco afilada y que no pudiera moverme para coger otra,
que me podría quedar atrapada en algún limbo entre la
vida y la muerte. Luego llené la bañera, me quedé en
ropa interior y me metí en ella.

Y

El agua estaba caliente, ardía, pero apenas lo noté cuando me sumergí en su interior. Lo único que sentía era el metal helado que me cortaba la palma de la mano al agarrar la cuchilla con tanta fuerza, y la dulce liberación de la sangre resbalando por mi piel. Abrí la mano, miré las cuchillas y las dejé, todas menos una, en el lateral de la bañera.

—Saber lo que estaba haciendo me resultaba liberador. Era incapaz de imaginar que no fuera a funcionar. Era imposible que alguien lo supiera o que alguien me encontrara. Me animaba pensar que ya no sufriría más.

—¿No tenías miedo?

—No hay ningún motivo para tenerle miedo a la muerte cuando ya estás viviendo un infierno.

La cuchilla se deslizó por mi piel con facilidad, y una parte de mi disfrutó viendo cómo se me abría la carne y brotaba la sangre. Me separé el metal de la piel y me lo llevé a otra zona, me la fui desplazando sin prisa por la tripa. Contemplé maravillada cómo la sangre se mezclaba con el agua y se arremolinaba a mi alrededor.

Una parte de mí sabía que aquello estaba mal, sabía que lo que estaba sintiendo no estaba bien, pero no podía parar. Tenía que detener el dolor, porque era lo único que podía sentir. Estaba físicamente entumecida, mentalmente exhausta y emocionalmente vacía.

Y solo quería volver a respirar.

Blake me abraza y se le hincha el pecho. Me entierra la cara en el pelo y yo cierro los ojos al recordar. Recuerdo el pinchazo, lo único que podía sentir, y recuerdo contar los minutos y los cortes, cómo me ceñía a un

ritmo. Un corte por minuto. Una nueva herida san-
grante cada sesenta segundos.

No podía dejar de llorar y sollozaba mientras me
deslizaba la pequeña cuchilla por la piel una y otra vez.
Ni siquiera me estaba cortando, me estaba rajando en ti-
ras. Me estaba dejando la piel hecha jirones, como si
pensara que de esa forma sangraría más deprisa. Me
hice un corte en la pierna, en dirección al muslo, y me
detuve justo ahí mientras pensaba dónde tendría la arteria principal. Dónde podía hacer el corte que acabara
con aquello en cuestión de minutos.

—Entonces me desesperé. No sangraba lo bastante
rápido. Necesitaba sangrar más y más deprisa, más
fuerte, más profundamente. Lo necesitaba, y lo necesitaba de inmediato.

No lo tenía del todo claro. Me arriesgué. Me clavé la
cuchilla en la piel con mucha más fuerza de la que había
impreso nunca, y la deslicé hacia arriba. De la herida
empezó a manar un chorro de sangre que tiñó el agua de
un rojo brillante e intenso, y empecé a sollozar con más
fuerza. Lloraba por todo lo que estaba dejando atrás y
por el dolor que provocaría.

Pero mi dolor era mucho más profundo que el que
provocaría mi muerte. Nadie lo pasaría peor que yo.

—Eso es lo último que recuerdo —susurro volviendo la cabeza hasta apoyarla en el corazón de Blake.
Los monótonos latidos de su corazón me relajan—. Me
desmayé debido a la gran cantidad de sangre que perdí.

No sé cuánto tiempo pasó hasta que Maddie me encontró, pero lo hizo. Me odio por eso, ¿sabes? Odio que de todas las personas del mundo que podían encontrarme de esa forma, tuviera que ser mi mejor amiga. Ella ya había visto cómo moría su madre, y lo que yo había hecho hacía que fuera muy probable que también tuviera que ver morir a su mejor amiga.

—Pero no pasó —dice Blake con la voz ronca.

Yo niego con la cabeza.

—No. No pasó. Maddie llamó a una ambulancia y los médicos me salvaron. Luego me explicaron lo del corte que me había hecho en el muslo, pero por lo visto lo había hecho de tal forma que habría muerto en una hora si Maddie no hubiera aparecido.

—¿Y si ella no hubiera llegado a tiempo?

—Pues entonces la habría torturado durante el resto de su vida por haber llegado tarde. —Me río un poco—. Antes deseaba que no hubiera llegado, pero ahora me alegro de que me encontrara. Ella me salvó la vida.

Blake inspira hondo.

—Y yo me alegro mucho de que lo hiciera.

—Yo también.

—Pero me da igual que sea su hermano, si alguna vez me cruzo con ese tío creo que lo mataré.

Se me escapa una pequeña sonrisa.

—Pues tendrás que esperar unos años. Está en la cárcel.

—¿Por lo que te hizo?

—No. Por las drogas. Quince años. Yo nunca lo denuncié, no tenía sentido. Estaba demasiado enferma como para comparecer en un juicio, y ni siquiera sabía que lo habían arrestado hasta que volví a casa. Se lo tiene merecido. Su vida se ha parado y la mía continúa. A veces me cuesta mucho seguir adelante, pero estoy viviendo. Él solo está vivo.

Blake me acaricia el pelo con suavidad, desliza los dedos por entre mis mechones y noto cómo me da un beso en la cabeza.

—Ya lo creo que estás viviendo —dice—. Y te prometo que yo te enseñaré qué es lo que debes esperar de un chico.

—¿Y qué es?

—Todo lo que siempre has querido y necesitado. Pero esa regla solo es aplicable a ti, porque todos deberíamos conseguir lo que merecemos, pero tú te mereces el mundo y mucho más.

Lo abrazo por la cintura y entierro la cabeza en su cuello.

—Ya lo tengo.

Blake

La semana anterior a nuestra actuación es una mezcla embriagadora de actividad. Trabajo, me entrego a interminables sesiones de baile, y voy viendo cómo Abbi se enfrenta a la decisión que ha tomado sobre nosotros. Lo advierto cada vez que bailamos —ahora que se ha abierto y me lo ha contado todo, esas emociones que la atemorizan me resultan muy evidentes—. Son tan evidentes que las percibo hasta yo, y se quedan suspendidas sobre su cabeza como la pesada nube que son.

Ya he perdido la cuenta de las veces que le he dicho que vamos a pisar el freno y a dar un paso atrás. También he perdido la cuenta de las veces que me ha dicho que me calle.

Hoy es la primera vez que la he visto emocionada. Está que casi salta de alegría y tiene una sonrisa infantil en la cara mientras esperamos en la puerta de su casa a que llegue Maddie con su novio y su padre.

—Entonces, ¿Maddie y Braden se conocieron por un juego?

Frunzo el ceño.

—Sí. Los amigos de ambos los desafiaron a conseguir enamorar al otro en un mes. Ya sé que la coincidencia es curiosa, pero fue así.

—Supongo que lo consiguieron los dos.

—Dios, qué lúcido estás hoy.

Me sonríe.

Yo esbozo una sonrisita y le tiro del pelo.

—No empieces, Jenkins.

—¿O qué, Smith?

—O haré esto.

Tiro de ella y la abrazo.

—No veo dónde está el problema.

Se relaja entre mis brazos.

—Supongo que me ha salido el tiro por la culata, ¿verdad?

—Sí —suelta entre risas—. Bueno, tengo que explicarte algo que deberías saber sobre Braden.

—Esto no suena bien.

—No, no es malo. Es que es… Si tengo que ser sincera, es un poco desagradable. Es la clase de tío al que te encantaría odiar.

—Joder, ya veo que mi reputación me precede —dice la voz de un chico por detrás de Abbi.

—Un dólar —exige la voz de Maddie—. Ahora.

—Mads…

—No. Un dólar, Braden.

Braden suspira, se mete la mano en el bolsillo y mira a Abbi.

—¿Has oído esta mierda, Abbi? Me obliga a pagarle cada vez que digo una palabrota. Mi novia y mi madre están conspirando contra mí.

—No me extraña —contesta Abbi—. Dices demasiados tacos.

—Gracias. —Maddie coge el dólar que le ofrece Braden y se lo mete en el bolsillo—. No te preocupes, es por una buena causa.

—Y una mierda —murmura Braden.

—Si dejas de decir palabrotas, no tendrás que llevarme a cenar.

Abbi resopla.

—¿Le obligas a llevarte a cenar con el dinero que paga por decir palabrotas?

Maddie esboza una sonrisa radiante.

—Sí. Primero pensé en comprarme unos zapatos, pero luego pensé que él tenía que recibir una parte. Aunque lo de los zapatos sigue siendo una posibilidad. Teniendo en cuenta la cantidad de palabrotas que dice, solo tardaré un par de meses en tener el dinero suficiente para comprarme unos Jimmy Choo o algo así.

—No te vas a comprar unos pu… —Braden se calla de golpe—. Unos pulidos zapatos con el dinero que me sacas por decir tacos.

Ella entorna los ojos y se aparta el pelo por encima del hombro.

—Estoy pensando en cobrarte cincuenta céntimos por media palabrota.

Sonrío por detrás de la cabeza de Abbi. Ahora entiendo por qué Maddie es la mejor amiga de Abbi. Es una chica brillante.

—No me obligues a amenazarte, Stevens —la desafía Braden.

—Cariño… —Maddie pone las manos en el pecho de Braden y lo mira—. No hay nada con lo que puedas amenazarme que no vaya a ser más doloroso para ti. Pero es bonito ver cómo lo intentas. —Le da una palmadita y me guiña el ojo—. Hola, Blake. Te presento a mi cavernícola, Braden. Cavernícola, este es Blake.

—Tú tranquilo, colega —le digo, y nos damos la mano.

—Enseguida lo estaré. Abbi, dime que tu padre tiene cerveza bien fría en la nevera de casa.

—Pues claro. Es Cuatro de Julio. ¿Por quién le tomas? —bromea Abbi.

—Ya te lo he dicho. —Maddie le clava el dedo en el brazo—. Venga, Blake y tú podéis entrar, buscar a su padre y hacer cosas de tíos.

—¿Estás intentando desembarazarte de mí, ángel?

Braden la mira.

—¿Yo? Jamás. —Maddie se vuelve hacia mí—. Entre

tú y yo, es verdad. No ha hecho otra cosa que recordar que este es el primer día de la independencia que no pasará en la playa, el pobrecito.

—Te lo juro, Maddie…

—Sí, Braden, ya sé que quieres decir una palabrota. Todos lo sabemos.

Braden inspira hondo, pero está reprimiendo una sonrisa.

—¿Sabes qué? Me voy a por esa cerveza. —Me mira—. ¿Vienes?

Tengo que elegir entre ir a por una cerveza o quedarme con esas dos. No es una elección muy difícil.

—Sí, voy.

Entramos en casa, Abbi y Maddie se marchan en dirección a las escaleras, y nosotros salimos al jardín.

Maddie se para un momento.

—¿Braden?

—¿Sí, ángel?

Se da media vuelta muy sonriente.

Ella esboza una mueca divertida.

—Sé amable.

—Yo siempre soy amable.

Se ríe.

Abbi tenía razón. Este tío resulta odioso, pero no puedo evitar que me caiga simpático. Es sincero y no tiene ningún problema en decir lo que piensa. Se parece a Maddie, no me sorprende que estén todo el día enzarzados con discusiones que divierten tanto a los demás.

Y, como la cerveza le suelta la lengua a cualquiera, ella ya le ha sacado siete dólares.

—Este es el motivo de que vaya por ahí con un montón de billetes de un dólar —ruge entregándole el noveno—. Solo te diré que espero que elija un restaurante bien caro.

—Es una chica. No tendrá ningún problema —le contesto.

—¡Ja! Eso es verdad. —Se reclina en el respaldo de la silla—. Siempre es mejor el restaurante que los zapatos. Ya tiene un montón, y la mitad están en mi maldito dormitorio.

Sonrío.

—Entonces los dos vais a la universidad en California, ¿verdad?

—Sí. Yo me crie allí.

—¿Y por qué no os habéis quedado este fin de semana?

—Estuvimos a punto. Yo me habría quedado si no fuera por Maddie. Pero el Cuatro de Julio era la fiesta preferida de su madre. No me apetecía pedirle que se quedara con mis padres sabiendo que ella quería estar aquí. Además, añora a Abbi como una loca cuando está en la universidad.

—A Abbi le pasa lo mismo con ella.

Las observo reírse como dos niñas.

—Cuando están juntas es como si estuvieran pegadas por la cadera. Recuerdo la primera vez que vine con Maddie y nos presentó. Abbi era una persona completamente diferente, pero en cuanto empezaron a hablar, se convirtieron en lo que ves ahora. Si tengo que ser sincero, estoy convencido de que al principio me odiaba. —Hace una pausa—. En realidad, tampoco creo que le caiga muy bien ahora.

Nos reímos los dos.

—Claro que sí. —Miro cómo se pone el pelo por detrás de la oreja; ahora le puedo ver el perfil—. Por lo menos está cómoda contigo. Eso te lo aseguro.

Noto cómo Braden me clava la mirada como si estuviera decidiendo si decir algo. El silencio solo dura un minuto.

—Te lo ha explicado.

No es una pregunta.

Asiento.

—¿Todo?

—En tan pocas palabras como ha podido.

—Joder. —Suelta el aire y se vuelve hacia las chicas—. Entonces confía en ti.

—Ya lo sé.

—No, tío. Me refiero a que confía en ti en serio. Hace tres meses casi no podía ni admitir todo por lo que había pasado, y ahora te lo cuenta a ti. Eso es importante para ella, ¿sabes? Cuando la conocí era una sombra de la persona que es ahora, y no dejaba de repetir que lo único que le importaba era Juilliard. Nada de chicos. Las relaciones le importaban un pimiento. Y quién iba a culparla. Ese capullo de Pearce la jodió bien, te aseguro que si yo hubiera sabido todo lo que hizo cuando ese maldito cabrón se presentó en Berkeley, le habría arrancado la puta cabeza. —Braden inspira hondo—. Abbi juró que nunca le contaría a nadie todo por lo que había pasado; estaba convencida de que las únicas personas que lo sabrían serían Maddie, la doctora Hausen y yo. Confía en mí porque Maddie también lo hace. Pero ahora tú también lo sabes, y te lo ha contado ella.

»Te diré algo, tío. Te lo ha explicado, y eso significa que confía más de lo normal en ti. Te ha confiado su corazón y te está dando el poder de destrozarlo. Casi no puedo creerme que haga una cosa así después de lo que le hizo Pearce y, al mismo tiempo, es completamente creíble.

—Eso no tiene sentido.

—No me lo puedo creer por lo convencida que estaba antes de mantenerlo en secreto, pero me lo creo porque no le has quitado los ojos de encima desde que hemos empezado a hablar.

Y esa frase me deja claro que lo ha entendido. Lo comprende mejor que cualquiera.

—Si tuvieras una chica como ella, ¿serías capaz de dejar de mirarla?

—Has visto a mi novia, ¿verdad? —Braden se ríe—. Ya ni me acuerdo de las veces que me han llamado la atención en clase de Literatura porque me he distraído mirándola. Desde que la conozco solo existe ella. Apostaría lo que fuera a que a ti te ha pasado lo mismo.

—Más o menos.

Las chicas cruzan el césped y se acercan a nosotros justo cuando el padre de Abbi sale de la casa, cargado con los fuegos artificiales. El padre de Maddie, que ha llegado hace una hora, va detrás de él, silbando, y con un encendedor en la mano. La madre de Abbi los mira y entorna los ojos.

—Me pregunto si maduraréis algún día —dice con tono reflexivo.

—Eso nunca —declara el padre de Maddie—. Madurar es muy aburrido.

—Y si maduráramos, ya no tendríamos excusa para hacer las tonterías que hacemos cuando nos vamos de pesca —tercia el padre de Abbi.

—No quiero saberlo —murmura su madre para sí.

—Por cierto, colega. —Le doy un codazo a Braden mientras Maddie y Abbi se acercan—. Le debes nueve dólares a Maddie.

—Joder. —Hace una pausa—. Que sean diez.

—Oye. —Lo miro—. Yo no se lo diré si tú tampoco abres la boca.

Me mira con una sonrisa petulante en los labios.

—¿Sabes qué, tío? Creo que me caes bien.

Maddie se para delante de nosotros y me observa antes de mirar a Braden.

—Entonces, ¿no has sacado la porra?

—Por el amor de dios, Maddie.

Ella se sienta sobre sus rodillas y le pellizca la mejilla.

—Es muy fácil sacarte de tus casillas.

—Tiene razón —afirma Abbi—. ¿Y cuánto dinero le debes?

—Nada —miente.

—¿En serio? —preguntan Maddie y Abbi al unísono mientras me miran alzando las cejas.

—Ha sido rarísimo —murmuro—. En serio. No ha dicho ni un taco.

Braden sonríe, abraza a Maddie y le da un beso en la mejilla.

—Me parece que tendremos que ir al McDonald's, Mads.

Entonces un fuerte estallido interrumpe la posible respuesta de Maddie y todos nos sobresaltamos. Abbi tropieza y cae sobre mi regazo. Yo me río, de ella y de la cara que pone su padre.

—Lo siento —dice haciéndonos una señal con la mano—. Lo he encendido por accidente.

El padre de Maddie sonríe y nos enseña el encendedor.

—¡Papá! —le grita Maddie—. ¡No te comportes como un crío!

—Ya estamos otra vez con lo de madurar —dice la madre de Abbi suspirando mientras me mira—. Pronto te acostumbrarás a estos dos, Blake.

—Claro que no —discrepa Abbi—. Yo todavía no me he acostumbrado y llevo toda la vida conviviendo con ello.

—Ten cuidado, princesa —grita su padre—. Todavía te compro los regalos de cumpleaños.

—Este año podré bailar el día de mi cumpleaños —le contesta—. Y es el mejor regalo de todos.

¿Cumpleaños?

—Un momento, ¿cuándo es tu cumpleaños?

Le estrecho la cintura y le pellizco el costado.

—El domingo.

—¿El día de la actuación?

—Sí.

—¿Y por qué no me lo habías dicho?

—Porque Abbi odia los cumpleaños —contesta Maddie por ella—. Para ser alguien que sueña con ser el centro de atención sobre un escenario, no soporta estar en el candelero.

—Me parece que yo también he dicho esa frase en algún momento —pienso en voz alta.

—Vaya, ¿de verdad no lo sabías? —pregunta Braden sorprendido.

—No tenía ni idea, tío.

Él niega con la cabeza.

—Deberías habérselo dicho, Abbi. Ya sabes que los chicos necesitan que los avisen con seis meses de antelación para organizar toda esa mieeee... preparativos de cumpleaños. —Se vuelve hacia Maddie, que lo está mirando con los ojos entornados—. Preparativos, ¡he dicho preparativos!

—Mmm.

Abbi sonríe.

—Odio los cumpleaños. No me gusta todo el alboroto que se genera.

—¿Y ahora qué te regalo? Solo tengo un día.

—¡Fuegos artificiales! —gritan los padres de Abbi y de Maddie emocionados.

—Ahora ya sé de dónde lo han sacado —murmura Braden.

—No necesito nada para mi cumpleaños —protesta Abbi cogiéndome de la mano—. El día de mi cumpleaños podré bailar. No hay nada mejor que eso.

—¡Oh, oh! —murmura de nuevo Braden—. Ya lo ha hecho.

—¿El qué?

Abbi mira a su alrededor.

—Acabas de decir que lo mejor que puedes hacer el día de tu cumpleaños es bailar. Y esa mierda es un desafío. —Se mete la mano en el bolsillo y le da un dólar a Maddie antes de que ella pueda siquiera abrir la boca—. Ahora él tendrá que encontrar algo mejor.

—¡Claro que no!

—Ya lo creo —digo—. En un maldito día.

Maddie sonríe con astucia.

—Menos mal que estoy aquí. Blake, ¿qué haces mañana?

—Por lo visto salir a comprarle un regalo a Abbi.

—No necesitas ir de compras. Yo sé lo que le puedes regalar.

Abbi

*D*ejo la mano suspendida sobre el picaporte que abre la puerta de la consulta de la doctora Hausen. Sé que todavía puedo cambiar de opinión, que puedo dar media vuelta y marcharme. Ella no sabe que he venido y eso es una bendición y una maldición al mismo tiempo. Es una bendición porque significa que no se han generado expectativas. Pero es una maldición porque significa que no tengo por qué entrar.

Pero tengo que hacerlo. En el fondo sé que debo hacerlo.

Así que llamo a su puerta golpeando la madera tres veces.

—Adelante —dice.

Abro la puerta muy despacio y entro en la consulta que conozco tan bien. Desde las frases de motivación que hay colgadas en las paredes, hasta los cómodos sillones rojos y los muebles de caoba. Todo es confortable aquí dentro.

—Abbi —dice con la voz teñida de sorpresa—. No esperaba verte hoy.

—Yo tampoco esperaba venir —admito—. Pero necesito hablar contigo... quiero preguntarte una cosa.

Ella ladea la cabeza y se baja las gafas.

—¿Oficial o extraoficialmente?

—Oficialmente.

—Siéntate.

La doctora desprende un aire completamente interrogativo cuando coge mi informe y se sienta delante de mí. Lo abre, coge ese bolígrafo tan molesto que tanto le gusta, y se reclina en la silla.

—¿Qué necesitas preguntarme?

—Dijiste que la recuperación sería a mi ritmo y que yo tendría un control razonable sobre el proceso.

—Así es.

Trago saliva.

—De acuerdo. Pues quiero cambiar una cosa.

La doctora Hausen se incorpora sobre su asiento.

—¿Qué te gustaría cambiar?

—Mi medicación.

Guarda silencio.

—Te escucho. Tienes toda mi atención.

Me cruzo de piernas y la miro a los ojos.

—No creo que necesite seguir tomando la dosis más alta de la medicación. Creo, bueno, ahora sé que lo llevo mejor que antes. Sigo teniendo pesadillas y todavía sigo reviviendo situaciones del pasado, pero ahora puedo controlarlas. Ya no tengo la sensación de depender de las pastillas. Ahora son como una red de seguridad para mí y para mis emociones.

—¿Y no crees que esa red de seguridad es algo bueno?

Escribe algo en su libreta.

—No, claro que lo es. Pero creo que ya no me hace falta que sea tan grande. Me gustaría pensar que quizá pueda controlarme antes de necesitar esa red. —Bajo la vista y meto el dedo en un agujero diminuto que tengo en los *leggings*—. Lo que quiero decir es que tú dijiste que yo era más fuerte que la mayoría de las personas que están aquí, ¿verdad? Dijiste que yo podía luchar contra lo que me estaba pasando y mejorar. ¿Cómo podré luchar contra ello si estoy envuelta entre algodones? Mientras siga tomando las pastillas y sean ellas las que controlen mi enfermedad, no seré capaz de luchar contra ella. Porque siempre amortiguarán la caída.

—Supongo que ya sabes que hay que dejarlas gradualmente, ¿verdad? No es algo que se pueda hacer de un día para otro. En tu caso, podría pasar un año.

—Ya lo sé. No estoy diciendo que esté preparada para dejarlas del todo. En realidad, el simple hecho de pensarlo ya me asusta mucho. Pero pienso que podría dar un pequeño paso en el proceso. Recuperar parte de ese control que crees que tengo.

—¿Solo lo creo yo?

—Y yo también. He llegado hasta aquí, ¿no es así? Debo de tener cierto control sobre mis sentimientos y mi depresión. Sigo viva. Tengo que creer que puedo controlar lo que llevo dentro.

La doctora Hausen guarda silencio un buen rato. Cuando levanto la vista veo que está sonriendo.

—Tú conoces tu mente mejor que nadie. Yo te puedo mirar y hacer una evaluación médica, pero tú eres la única que puede acertar de pleno. Si tú crees que estás preparada para reducir la dosis, estaré encantada de rebajarla y ver cómo te va. Sabes que puedes volverte atrás cuando quieras, ¿verdad?

Asiento.

—Y de momento mantendremos tus sesiones de terapia semanales. Ahora serán más importantes. Aunque solo nos tomemos un café y hablemos del tiempo.

Vuelvo a asentir.

—Lo entiendo. Yo solo… La verdad es que me siento capaz.

—Lo dejaré todo preparado para mañana. Te puedo llamar cuando esté listo y puedas pasar a buscarlo.

—Le diré a papá que se pase cuando salga de trabajar mañana por la tarde.

—Perfecto. ¿Eso es todo?

—Sí. —Me levanto y me marcho en dirección a la puerta dando pequeños saltitos—. Gracias.

La abro.

—¿Abbi?

Miro por encima del hombro.

—¿Sí?

La doctora Hausen me mira mientras juguetea con el bolígrafo.

—Tengo que preguntártelo. ¿Qué ha cambiado?

Yo esbozo una sonrisa lenta y genuina.

—Que he dejado de existir y he empezado a vivir.

Me dejo caer en los brazos de Blake cuando acabamos nuestra coreografía. Él me levanta los pies del suelo y me hace girar; yo tengo la cara enterrada en su cuello. No puedo evitar sonreír, hacía demasiado tiempo que no pisaba un escenario de verdad y bailaba bajo el brillo de las luces como si no tuviera ni una sola preocupación. Hacía mucho, demasiado tiempo, que no me sentía como en casa.

Y solamente eso ya es el mejor regalo de cumpleaños que podría tener.

Blake me estrecha con fuerza y me da un beso en la sien.

—Espero que tu madre lo haya grabado tal como dijo.

—¿Por qué?

—Porque le quiero enviar el vídeo a mi madre para hacerla rabiar —murmura con la boca pegada a mi pelo.

Yo me río y me aparto de él.

—Maduro, Blake. Muy maduro.

—Ya ves. —Se encoge de hombros y me mira con sus ojos verdes. Unos ojos verdes que de repente tienen un brillo travieso—. ¿Estás preparada?

—¿Preparada para qué?

Entorno los ojos.

—Para salir de aquí. Tenemos que ir a un sitio.

—¿Ah, sí?

Él asiente y me posa la mano en la mejilla.

—Te sigo debiendo un regalo de cumpleaños.

—Blake.

—No, Abs. Tengo una cosa para ti, pero si lo odias, puedes echarle la culpa a Maddie, porque ha sido ella quien lo ha organizado todo. Sin embargo, si te encanta, quiero que sepas que la idea ha sido mía.

Sonrío.

—Está bien. Ya veo que no voy a ganar. ¿Dónde está mi regalo?

—Está a una hora y media de aquí.

—Eso es... Hay un buen camino.

—Pero merecerá la pena. —Me coge de la mano y me lleva a la parte posterior del teatro, hacia los vestuarios—. Reúnete conmigo en la puerta de atrás dentro de diez minutos. Ah, y dame las llaves de tu coche.

—¿Qué? —grito—. ¿Por qué necesitas mis llaves?

—No las necesito y tú tampoco. Se las voy a dar a tu madre.

—¿Por qué?

—Tú dámelas.

—Está bien, espera. —Entro en mi vestuario, cojo las llaves de mi bolso y se las coloco en su mano—. Me estoy empezando a preocupar por este regalo, ¿sabes?

—Pues no te preocupes —dice, y empieza a alejarse de mí—. Diez minutos.

Inspiro hondo y cierro la puerta. No dejo de darle vueltas a lo que puede haber planeado, pero no se me ocurre nada muy realista.

Y yo que pensaba que había llegado a las nueve de la noche sin que nadie montara mucho alboroto... No podía tener tanta suerte.

Me quito la ropa de *ballet*, me pongo la de calle y guardo todas mis cosas. Echo un vistazo por el vestuario para comprobar que no me he dejado nada y corro escaleras abajo en dirección a la puerta de atrás. Blake me está esperando allí con dos bolsas en la mano: una con sus cosas para bailar, y otra.

—¿Qué es eso? —pregunto señalando la bolsa—. Oye, ¿eso es mío?

Sonríe.

—Vamos.

Entorno los ojos mientras lo sigo hasta un Ford plateado.

—Tú no tienes coche.

—Exacto. Lo he arrendado.

—¿Has arrendado un coche? ¿Qué eres tú? ¿Un lugareño de la Edad Media?

—Emm… ¿Vosotros decís alquilado?

—Sí. Decimos alquilado. —Sonrío. Es tan mono—. Malditos británicos.

Blake me roza los dedos cuando me coge la bolsa de baile y esboza una sonrisa de medio lado.

—Condenados estadounidenses —susurra clavándome los ojos. Coge la bolsa, la mete en el maletero y lo cierra—. ¿Vas a subir? —me pregunta yendo hacia la puerta del pasajero.

Yo me trago mi sonrisa, reprimo mi diversión y me cruzo de brazos.

—Me encantaría, pero no tengo las llaves.

—No necesitas las llaves. Conduzco yo.

—No creo que puedas hacerlo desde el lado del asiento del pasajero.

Agacha la cabeza, se para un momento y se la golpea contra el techo del coche. Yo me tapo la boca y me río con la boca pegada a las manos.

—Maldita sea. ¡Aquí está todo del revés! —grita rodeando el coche.

Me subo al asiento del pasajero y lo miro.

—Por favor, no te olvides de que aquí también conducimos por el otro lado de la carretera.

—¿En qué estaría pensando cuando decidí que esto era una buena idea?

Sonrío.

—Ya te dije que no te preocuparas.

Blake gruñe y arranca el coche. Mira el hueco donde debería estar el cambio de marchas.

—Ahora me alegro mucho de que Maddie me convenciera para que eligiera un coche automático. No creo que fuera capaz de utilizar el cambio de marchas con la mano derecha.

—Todos nuestros coches de alquiler son automáticos.

Me mira.

—Supongo que ya sabéis que sois muy confusos, ¿verdad?

—Sí. ¿Estás seguro de que puedes conducir este coche y llevarnos adondequiera que vayamos de una sola pieza?

—Estoy seguro. Pero hazme un favor y no te duermas ni nada por el estilo.

Me pongo el cinturón y me arrellano en el asiento mientras él sale del aparcamiento.

—En cuanto me asegure de que vas por el lado correcto de la carretera.

—O por el lado equivocado —murmura—. Según se mire.

Yo me tapo la boca con la mano para ocultar una sonrisa.

—Sabes adónde vamos, ¿verdad?

Asiente.

—Google Maps. Siempre funciona. Duérmete, Abbi.

Me despierta el suave roce de los labios de Blake en los míos. Sonrío y me despierto en el asiento.

—¿Ya hemos llegado?

Vuelvo la cabeza y lo miro con los ojos soñolientos. Él se inclina y me aparta el pelo de la cara.

—Sí, ya hemos llegado.

—Hum… ¿Y dónde estamos?

—Estamos en las montañas Poconos —dice Blake en voz baja mientras me abre la puerta.

—¿Ni siquiera estamos en el estado de Nueva York? Alzo las cejas.

—No. Pero antes de que me digas nada, quiero que hagas una cosa.

Levanto las cejas todavía más, si es que eso es posible.

—Mira hacia arriba.

Le hago caso. Echo la cabeza hacia atrás y, en medio de aquella oscuridad —la completa y arrolladora oscuridad que nos rodea—, el cielo de la noche está iluminado por las luces que él mismo ha creado. Nunca había visto unas estrellas más brillantes y más grandes, hay cientos de miles de lucecitas que relucen en la oscuridad.

—Oh —jadeo girando sobre mí misma. Están por todas partes y centellean incluso por entre las hojas de los árboles más altos—. Son preciosas. ¿Pero por qué aquí?

—Aquí no te puedes esconder a los ojos de todo el mundo. Es como un Prospect Park gigante e interminable. ¿Y las estrellas? Bueno… Las estrellas, estas cosas que nunca se ven en Brooklyn, son todas esas cosas que la gente nunca ve en ti. Y lo más importante, son esos pequeños puntos de luz que guardas en tu interior, solo que están fuera. El cielo es tu depresión y las estrellas son todas esas cosas que te ayudan a seguir adelante cuando tienes la sensación de que la oscuridad te está engullendo. Quería regalarte algo visual, algo que puedas conservar siempre y mirarlo cuando las cosas se compliquen.

Me suelta las manos y busca algo en la parte posterior del coche.

—¿Qué estás…? —Dejo de hablar cuando veo la cámara que lleva en las manos—. Algo que podré conservar siempre —repito con silencioso asombro.

Cuando me deja la cámara sobre la mano temblorosa, lo miro con los ojos llenos de lágrimas.

—Y puedas mirarlo cuando las cosas se compliquen. Ese es mi regalo.

—Esperanza. —Las lágrimas brotan de las esquinas de mis ojos—. Me estás dando esperanza.

Blake me limpia las lágrimas que me resbalan por las mejillas.

—Te estoy dando otro motivo para vivir.

Yo apoyo la mejilla en la palma de su mano y pongo mi mano sobre la suya.

—Eso me lo diste el día que entraste en la clase de Bianca. Lo que pasa es que aún no lo sabía.

Blake

—*T*ienes que recordar que debes relajarte —me había dicho Tori—. Déjate llevar por la danza, Blake. No, no. ¡Tienes los hombros demasiado tensos!

Me apartó las manos y se puso detrás de mí. Me golpeó entre los omóplatos. Fuerte.

—¡Ay! ¿Por qué has hecho eso?

Intenté alcanzar el lugar donde me había golpeado doblando el brazo en un gesto extraño.

—¿Se te han relajado los hombros?

Los hice girar.

—Sí.

—Pues por eso lo he hecho —dijo resoplando—. No te saldrá bien si estás tenso. ¡Sería como bailar con una plancha de madera!

—¡Ni siquiera tengo por qué saber nada de esto todavía!

—Pero yo sí, Blake. Tengo que dominar esta rutina o no podré bailar en la obra de Navidad. Por favor, ayúdame. Por favor —gimoteó arrastrando la última palabra.

Sus ojos verdes parpadearon con inocencia y yo suspiré con impotencia.

Claro que la ayudaría. Si ella lo necesitaba, yo estaba dispuesto a aprender pasos de baile cuatro años por encima de mi nivel. Tori sabía que yo haría cualquier cosa por ella.

—Está bien —gruñí como solo lo podía hacer un niño de once años—. Pero me debes una, Tori. Otra vez.

—Ya lo sé, ya lo sé. —Me dio un beso en la cabeza—. Eres el mejor.

—Pero no me vuelvas a pegar.

—No lo haré. Te lo prometo, pero te tienes que relajar, ¿de acuerdo?

—¡Ya te he entendido!

—No, en serio, Blake. No puedes bailar si estás tenso, esto es *ballet*.

—Tu charla es lo que me está poniendo tenso —le digo con toda la intención cruzándome de brazos.

Tori sonrió.

—¡Te lo repito porque no me estás escuchando!

—¡Está bien! —gemí—. Te escucho.

Me revolvió el pelo.

—Tienes que bailar de la misma forma que te enamoras: sin esfuerzo, con constancia y entregándote al máximo.

—Yo no pienso enamorarme nunca —protesté—. Las chicas son insoportables.

—Eso lo dices ahora, pero lo harás algún día.

—No pienso hacerlo. Nunca.

—Todo el mundo se enamora, hermanito. En algún momento de tu vida te enamorarás de alguien, y cuando te pase, serás incapaz de distinguir los sentimientos de la danza y del amor. Y si tienes mucha suerte, ella será el baile del que te enamores.

Abro los ojos. Todavía puedo oír su voz en mis oídos y resonando en las paredes de la cabañita de madera. El sueño ha sido real, demasiado real, incluso después de tantos años.

Ya han pasado diez años desde que mantuvimos esa conversación, y llevo esperando desde entonces para demostrar que estaba en lo cierto o se equivocaba. Me entregué al baile como ella dijo: puse todo lo que tenía y más. Hice planes de futuro y mis sueños eran más ambiciosos que los de cualquiera. Nunca paré ni abandoné el baile por muchos obstáculos que me encontrara. Incluso a pesar de la decepción de mis padres, nunca tiré la toalla. Seguí luchando para poder bailar, incluso a pesar de que, a veces, parecía imposible.

Ahora parece absurdo mirar atrás y pensar que aquellas palabras las dijo una chica de quince años. ¿Qué sabría Tori del amor? Todavía era una niña cuya verdadera felicidad procedía del mismo lugar que la mía: agarrarse a la barra.

Pero tenía razón. Tenía toda la razón.

El amor y la danza son lo mismo. Es algo sencillo, como respirar, y si esa persona es para ti, es todo muy natural. No hay nada que reconsiderar, no hay dudas. Nunca se te ocurre pensar que esa persona no es para ti, ni por un segundo. En realidad lo sabes. Sencillamente sabes que es todo lo que vas a necesitar.

Abbi se mueve un poco mientras duerme y yo la abrazo. Ella mete la cabeza debajo de mi barbilla y se acurruca.

Para mí es Abbi. Ella es mi baile. Me enamoré de ella como me dijo Tori que me ocurriría, y fue algo tan natural que no me di ni cuenta. El sentimiento ha ido creciendo poco a poco, ha ido aumentando y transformándose cada vez que me ha sonreído o se ha reído conmigo. Y eso significa que no me puedo marchar, da igual lo que ella me diga, estoy unido a ella por una poderosa e implacable fuerza interior. Me mantiene unido a ella y a todo lo que a ella le gustaría esconder. Me mantiene con vida, porque ella ha llenado una parte de mí que hacía mucho tiempo que estaba vacía.

Nunca podrá reemplazar a mi hermana. No soy tan tonto como para pensar eso, pero que no pueda sustituirla no significa que no pueda estar a su lado dentro de mi corazón, y eso no significa que quiera menos a Tori por amar a Abbi.

Las puedo amar a las dos al mismo tiempo de formas completamente diferentes mientras le doy las gracias al cielo de que Abbi no siguiera los pasos de Tori.

—Supongo que me estás tomando el pelo —espeta Abbi mirando la canoa.

—¿Te parecería divertido si te dijera que no?

—No. Para nada. Es imposible que eso… —Me mira y apunta la canoa con un dedo acusador— sea divertido. En absoluto. Para nada.

—Entonces me imagino que no te apetece subir, ¿verdad?

—¿Te parezco la clase de chica que se sube a una canoa? ¿En serio?

Yo guardo silencio e intento reprimir una sonrisa. Abbi coge el chaleco salvavidas naranja.

—Y esto. No pienso ponérmelo. No pienso subir a una barca. Odio las barcas.

—No pasa nada por ir en barca.

—Si no está en tierra firme, ya lo creo que pasa.

Se cruza de brazos con actitud desafiante.

—Bueno, en realidad tienes dos opciones —le digo muy despacio.

—¿Y cuáles son?

—O te pones esto… —le quito el chaleco— y te subes a la canoa…

—No.

—… o te pones el chaleco y te metes en el agua. En cualquiera de las dos situaciones te pondrás el salvavidas.

Se queda boquiabierta.

—Como te atrevas a tirarme al agua, Blake Smith, te juro por Dios que…

Sonrío.

—¿Qué?

Hace una pausa.

—No lo sé. Todavía no se me ha ocurrido nada.

Me río y le toco la cara.

—Abbi, por favor. Tú ponte el chaleco y súbete a la canoa. Te prometo que todo irá bien.

Ella entorna los ojos.

—Mmmm.

—Por favor —le suplico—. No me obligues a poner los ojitos de cachorrito otra vez. Ya sabes que son infalibles.

—¿Por qué es tan importante que me suba a la maldita canoa?

—Porque sí. Forma parte de la sorpresa de tu cumpleaños, ¿de acuerdo?

Se ablanda un poco.

—Blake, ya has hecho suficiente.

—De eso nada. —Le meto los brazos en el chaleco salvavidas y se lo ato por delante. Dejo las manos suspendidas sobre la cremallera y la miro—. Cuando pienso en lo que tú me das cada día, sé que tengo que espabilar, me llevas mucha ventaja.

Le doy media vuelta y la empujo con suavidad hacia la canoa. Cojo mi chaleco y me lo pongo mientras sujeto la barca para que ella suba. Abbi se sube y se sienta con cuidado, tiene aspecto de estar muy lejos de su zona de confort.

—No me puedo creer que esté haciendo esto —murmura—. De verdad.

—No tienes por qué creértelo. Solo tienes que hacerlo.

Meto el remo en el agua y dirijo la canoa hacia el centro del río.

Abbi guarda silencio un momento.

—¿Y adónde vamos?

—Bueno, solo vamos a bajar el río.

—Esa respuesta es muy imprecisa.

—Sí...

—Blake —dice con severidad—. ¿Sabes adónde vamos?

—Pues claro que sí. Yo siempre sé adónde vamos.

—Oh no...

—Aunque no necesariamente tengo por qué saber cómo llegar.

Abbi golpea la canoa.

—¡Blake!

—¿Qué? No me eches las culpas a mí. —Cuando la miro por encima del hombro veo que me está observando con los ojos entornados, pero no puede ocultar que se está divirtiendo—. Culpa a Google. Ellos son los que todavía no han perfeccionado los mapas de las montañas.

—Tú... No sé ni qué decirte. —Veo cómo niega con la cabeza—. Estamos en una barca y descendemos por un río en medio de Poconos, y podríamos acabar en cualquier parte. Me siento muy segura en este momento.

—Mientras no acabemos en el Atlántico supongo que no pasará nada.

Abbi suspira.

—Eso es lo que tú crees. Eso es lo que tú crees.

Esbozo una sonrisa engreída cuando veo la cara que pone.

—¿Lo has hecho tú?

Asiento.

—Ya te he dicho que todo iría bien, ¿verdad?

—¿Bien? ¡¿Bien?! —Abbi me mira como si estuviera loco—. Blake, has organizado un maldito *picnic* en medio de las Poconos, al pie de las montañas y con vistas al lago más alucinante que he visto en mi vida, solo para mi cumpleaños. ¿Y me dices que todo ha salido bien?

—¿Cómo lo definirías tú?

—Me parece que no lo sé —susurra con los ojos rebosantes de ternura—. Pero lo que sí sé es que esto es lo más alucinante que alguien ha hecho por mí.

Me rodea el cuello con los brazos y aprieta con fuerza. Yo la abrazo por la cintura y sonrío.

—En ese caso, toda la escapada ha sido idea mía. Maddie no ha tenido nada que ver.

Se ríe pegada a mi hombro.

—Buen intento.

Me encojo de hombros, la acompaño hasta la manta y me siento.

—La escapada fue idea de Maddie. Lo de venir a Poconos se me ocurrió a mí. Como te dije ayer por la noche, para mí es como un Prospect Park gigante.

Abbi mira a su alrededor y contempla los distintos tonos de verde que visten árboles y arbustos, las flores silvestres que crecen por entre sus raíces y las aguas cristalinas del lago.

—Exacto. —Acaricia la manta—. Creo que ya tengo un nuevo sitio preferido.

—No pienso venir aquí cada vez que te quieras esconder —murmuro con tono bromista.

Ella esboza una sonrisa delicada.

—No tienes por qué. Me parece que de ahora en adelante solo me esconderé debajo del edredón. Da igual adónde vaya, mi pasado siempre me encontrará. No puedo luchar contra él, solo tengo que aprender a vivir con él. Es la única forma que tengo de vencerlo algún día. La aceptación es la llave para seguir adelante.

Yo niego despacio con la cabeza mientras la miro: desde la curva de sus cejas hasta sus mejillas sonrosadas y desde las ondulaciones de su melena hasta su nariz respingona.

—¿Qué?

—¿Alguna vez has pensado que las peores cosas siempre les suceden a las mejores personas? —reflexiono en voz alta—. Las personas que menos se lo merecen siempre acaban lidiando con los problemas más serios.

—Es posible —contesta despacio—. Pero a mí me gusta pensar que a las mejores personas les toca lidiar con los peores problemas porque son las que pueden manejarlos. Lo que no te mata te hace más fuerte y todo eso. Y creo que yo soy más fuerte gracias a todo lo que me ha pasado. Por lo menos debería ser así porque no me ha matado. Nadie sabe por qué pasan las cosas, ya sean buenas o malas, pero siempre hay un motivo.

Lo pienso un momento.

—Supongo que tienes razón.

—Bueno, si yo no hubiera pasado por lo que pasé, no nos habríamos conocido, ¿verdad?

—Supongo que no. —Sonrío—. A veces las cosas buenas tienen que derrumbarse, aunque solo sea para que a uno le puedan pasar cosas aún mejores.

—Exacto. Y por muy cursi que suene, me parece que elegiría creer que tenía que pasar por todo lo de Pearce para poder estar aquí hoy. —Me mira y sonríe con delicadeza con los ojos muy abiertos—. Ya sé que, a veces, no te habrá resultado fácil estar a mi lado, y que quizá eso aún tarde un tiempo en cambiar, pero me alegro mucho de que hayas aguantado.

—Sí, bueno, a veces eres un verdadero grano en el culo.

Ella alza una ceja divertida.

—Quiero decir, eres muy pesada, y nunca puedo hacer nada cuando estoy contigo porque me distraes, pero...

Abbi me agarra del cuello de la camiseta y tira de mí para besarme. Yo parpadeo sorprendido por un segundo antes de enterrarle los dedos en el pelo y seguir su ejemplo. Me roza el labio inferior con los dientes y tira con suavidad, y no es la única parte de mi cuerpo que se despierta.

Me echo hacia delante y la empujo hasta atrás. Me apoyo sobre una mano y la rodeo con la otra para no despegarme de ella mientras nos tumbamos. Luego me coloco encima de ella y deslizo la rodilla entre las suyas. Ella me pasea la lengua por el labio y, ¡dios!, me está volviendo loco. Enreda los dedos en mi pelo para pegarme bien a ella y yo la beso apasionadamente. Profundizo en ese beso hasta que desaparece todo lo demás. Todo menos su cuerpo, que siento suave pero fuerte debajo del mío, además de las caricias de su lengua y sus dedos enredados en mi pelo.

—Pero —susurro contra sus labios besándola una vez más—, no me puedo imaginar la vida sin ti. Estaría loco si no hubiera aguantado. En realidad, es posible que esté un poco loco de todas formas.

Ella se ríe con la frente pegada a la mía.

—Así podremos hacer locuras juntos.

Yo esbozo una gran sonrisa y se me escapa una pequeña carcajada.

—Siempre.

Abbi

*B*lake se defiende muy bien en la cocina. Los músculos de su espalda se mueven mientras trocea y pela las verduras, y flexiona el bíceps cada vez que busca algo en los armarios. Yo estoy sentada sobre la mesa: balanceo las piernas y me río cuando él coge un cuenco de uno de los armarios de abajo y por poco se cae hacia atrás.

Me fulmina con la mirada, sonríe y se pone de pie. Tiene todos los ingredientes que necesita para lo que sea que está cocinando repartidos por encima de la mesa que tengo al lado, y yo aguardo con las manos sobre el regazo. Lleva una camisa negra y el paquete de harina abierto es demasiado tentador...

—Dios. Ha sido traumático.

—Has cogido un cuenco del armario.

—¿Y? —Se acerca a mí—. Debería haber sabido que estaría donde lo buscaba.

—Entonces ese es el primer sitio donde deberías haber buscado, ¿no es así?

—Eres muy graciosa. —Sonríe.

Yo también.

—Es una de mis mayores virtudes. Pensaba que a estas alturas ya lo sabrías.

Le clavo el dedo en el brazo.

Él pesa un poco de harina y la tamiza en el cuenco.

—Claro que lo sé. Solo intento olvidar lo que tú llamas sentido del humor.

—Eso es porque eres inglés —le digo con seguridad—. Todo el mundo sabe que los británicos tienen un sentido del humor muy raro.

—Yo no.

—Claro que sí. Y todos habláis demasiado sobre el tiempo.

Blake abre la boca para discutírmelo, pero la cierra enseguida y asiente.

—En eso te voy a dar la razón. Pero tengo que añadir que es un tema perfecto para empezar una conversación.

—¿Mejor que esas frases tuyas de ligón?

Me clava sus ojos verdes.

—No hay nada mejor que mis frases de ligón, y lo sabes.

—Eso es discutible.

—Bueno. Funcionó, ¿verdad?

Alza las cejas y me toca la nariz con el dedo. Un dedo que tiene manchado de harina.

—¿Me acabas de manchar la nariz de harina?

—Mmm. No.

Casca un huevo dentro del cuenco.

Me froto la nariz y se me cae un polvillo blanco en el regazo. Sin vacilar ni un ápice, meto la mano en el paquete de harina y le tiro un puñado a Blake. Aterriza sobre su pelo, su cara y su camisa negra. La niña que llevo dentro se ríe encantada.

Blake se queda inmóvil y se vuelve hacia mí muy despacio. Yo sonrío avergonzada.

—¿No quería tirarte tanta?

La frase me sale en forma de pregunta y Blake se muerde la lengua. Tiene un brillo travieso en la mirada y esboza una sonrisa descarada. Yo abro los ojos como platos.

—Oh, no. No. No. ¡No! —Me bajo de la mesa de un salto y me encuentro de frente con una nube de harina.

Toso y escupo mientras lo fulmino con la mirada—.
¡Eso no ha sido justo!

—Lo que tú has hecho tampoco. Ahora estamos
en paz.

Le siguen brillando los ojos.

—No te creo.

—Y no deberías.

Me tira otro puñado de harina y yo grito mientras
sacudo la cabeza, como si así me la pudiera quitar del
pelo.

—¡Oh, se acabó!

Cojo el paquete de harina de encima de la mesa y lo
agito en su dirección. Él da un paso atrás riendo y nos
enzarzamos en una divertida carrera alrededor de la
mesa de la cocina. Me río con él; Blake está lleno de harina y me pregunto qué aspecto tendré yo. Supongo que
pareceré igual de tonta que él.

—En paz —repite Blake levantando las manos—. Lo
dejamos en un empate.

—Está bien —acepto un momento después—. Pero
guardamos la harina en el armario.

—Hecho.

Guardo la harina, pero cuando me doy la vuelta
Blake me coge de la cara con las manos húmedas y pe-
gajosas. Grito.

—¿Qué narices es eso?

—Huevo.

Me quedo boquiabierta y lo miro desconcertada.

—¡Tramposo!

La sonrisa de oreja a oreja que tiene en la cara lo hace
parecer cinco años más joven, y tengo que esforzarme
para no reírme yo también. Meto las manos en el
cuenco y me las embadurno de huevo y harina. La mezcla espesa y viscosa se me pega en los dedos y corro hacia Blake.

—¡Mierda! —se ríe con más ganas—. Abbi. ¡Abbi!

Yo le embadurno la cara y grito. Él me agarra de la cara con las manos blancas y me entierra los dedos en el pelo. Me agarro de sus brazos porque tengo la sensación de que me voy a caer de espaldas. Entonces me besa y yo cierro los ojos.

Se me escapa un jadeo al percibir la intensidad del beso y lo siento hasta en los dedos de los pies. Se me enroscan hacia el suelo de madera, me elevo un poco y clavo los dedos en los brazos de Blake. Nunca me había besado así, qué digo, nunca me había besado así nadie, y cuando me pasa la lengua por el labio inferior y me lo muerde con suavidad, noto cómo una oleada de calor se arremolina en mi estómago. Siento un deseo que hacía mucho que no sentía, es un deseo mucho más fuerte e intenso de lo que imaginé que sentiría cuando volviera a ocurrir.

Me entierra las manos en el pelo y yo me pego a él. Su forma de besarme me cautiva y me asusta y, a medida que el deseo aumenta, siento ganas de abrazarlo con más fuerza y de salir corriendo.

Blake me rodea por la cintura y me inmoviliza contra él tomando la decisión por mí. Yo paseo las manos por sus brazos, subo por su cuello y me aferro a él. Me agarro a él como si me estuviera ahogando y él fuera lo único que pudiera mantenerme a flote y salvarme.

Y puede que sea cierto y me esté ahogando, pero esta vez no me estoy dejando arrastrar bajo el peso de mi depresión.

Esta vez me estoy dejando llevar por lo que siento por él, dejando que las emociones me consuman y tiren de mí hacia el fondo. Me estoy ahogando en las posibilidades del mañana, en las probabilidades de nuestra relación. Estoy respirando el aire más fresco que he respirado en meses, soñando con un futuro en el que hay algo más que la danza.

Porque estoy enamorada de él.

Y lo siento. Lo siento en cada poro de mi piel, pero no estoy asustada, ni siquiera estoy sorprendida. Creo que siempre lo he sabido. Siempre supe que mi corazón estaba en sus manos, así que me dejo llevar. Ignoro los gritos que resuenan en un rincón oscuro de mi cabeza, y dejo que sean mi corazón y mi cuerpo los que hablen.

Percibo el momento exacto en el que cesan los gritos y mis deseos superan a mis miedos, porque una de las cuerdas que me atan a la depresión se rompe. Normalmente lo que oigo es como si una cuerda se rasgara, pero esta vez es un corte limpio, una amputación rápida de esas barras de acero que me tienen atrapada en la oscuridad.

Blake me pega la espalda a la pared, yo le enredo los dedos en el pelo y noto la humedad que me resbala por las mejillas. Y con cada lágrima que resbala de mis ojos cerrados, me deshago de una parte de ese peso.

—Abbi —susurra Blake separándose de mí y soltándome la cabeza. Me coge de la mejilla, me limpia las lágrimas y apoya la frente en la mía—. No llores. Por favor, no llores. No tenemos por qué…

—No lloro por eso —le digo entre risas y sollozos—. No estoy llorando porque esté recordando o porque me duela. Estoy llorando porque me estoy deshaciendo de ese dolor, por lo menos un poco. Y ahora estoy llorando porque no quiero que pares.

Blake respira despacio y su aliento cálido me roza los labios.

—Lo digo en serio, Abs. No tenemos por qué hacer nada para lo que no estés preparada. Te pondré esa película ñoña y me volveré a poner con la masa y…

Le echo la cabeza hacia atrás para que me mire a los ojos. Para que sepa que hablo en serio.

—Blake Smith, si pasas de mí y te pones a hacer esa maldita masa, no volveré a hablar contigo. Jamás.

Me mira y parpadea.

—Me parece que nunca te había oído decir ninguna palabrota.

—Hazme un favor.

—Por si te lo estás preguntando, estoy pensando en no volver a hacer masa en mi vida.

—Hablas demasiado —murmuro—. Solo cinco minutos, ¿podrías cerrar el pico y volver a besarme?

Me coge de la nuca, me separa de la pared y me acerca él.

—Si me lo pides con tanta amabilidad...

Me vuelve a besar, pero esta vez lo hace con más fuerza, con más necesidad, y cuando me roza los labios con la lengua yo me abro a él. Blake baja la mano y me agarra del trasero para pegar mi pelvis a la suya. Cuando noto su erección contra el muslo, una punzada de duda brota de la oscuridad, pero me esfuerzo por eliminarla.

Mi cabeza lleva demasiado tiempo controlando esto. Mi cabeza es lo que me está reprimiendo. Esta noche mi corazón ha tomado las riendas. No estoy pensando. Solo estoy sintiendo.

Blake abre la puerta del dormitorio de una patada y entro caminando de espaldas. Se me doblan las piernas al chocar con la cama y Blake extiende el brazo para que podamos tumbarnos despacio. Se tumba encima de mí y noto el peso de su cuerpo, delgado y musculoso. Le revuelvo el pelo y dejo resbalar las manos por su espalda hasta llegar a la costura de su camiseta. Cojo la tela, tiro hacia arriba y él se detiene.

—Cállate —murmuro contra su boca antes de que pueda decir una sola palabra.

Le tiembla todo el cuerpo al reírse en silencio y yo noto la sonrisa que tiene en los labios.

—Creo que me gusta esta faceta tuya —susurra besándome la mandíbula.

Le quito la camiseta y poso las manos sobre su piel

caliente y suave. Él desliza los labios por mi cuello y me va besando la piel salpicada de harina con la boca abierta, y yo inspiro hondo. Y no es suficiente.

Y entonces lo comprendo. Entiendo que lo que quiero de Blake va mucho más allá de esta noche. Lo necesito. Necesito cada pedacito de él que pueda darme. Y el único motivo que tengo para explicarlo es que lo siento así.

Es sorprendente y aterrador. Es un descubrimiento intenso e inquietante, algo que a duras penas entiendo, pero lo necesito. Le necesito tanto como le quiero, hasta tal punto que si no me entrego a esa necesidad, me consumirá.

Blake me quita la camiseta con la misma naturalidad con la que me besa. Me desabrocha los vaqueros con la misma habilidad con la que pasea la boca por mi estómago. Pasea los ojos por mi cuerpo y absorbe cada centímetro de mí con el mismo ardor con el que palpita la sangre por mi cuerpo en este momento.

Se vuelve a tumbar encima de mí con la misma fuerza con la que yo le rodeo con la pierna. Su lengua es tan inquisitiva como la mía. Somos un tándem, desde nuestros movimientos, pasando por nuestra respiración, hasta las silenciosas súplicas que nos hacemos el uno al otro.

Le meto los dedos en los vaqueros y tiro hacia abajo para quitárselos al mismo tiempo que los calzoncillos. Él me coge de la cintura mientras desliza la lengua por mi pecho y la pasea por la copa de mi sujetador. Se me pone la piel de gallina, todo un contraste con el calor de su aliento que me recorre la piel. Me quita el sujetador y resbala hacia abajo hasta llegar a mis braguitas.

Me chupa los pechos, coge la tela de mis bragas y me pega la boca al oído.

—Si en algún momento quieres parar, solo tienes que decirlo, y yo pararé. Hablo en serio. En cualquier momento.

Asiento, vuelvo la cara hacia él y le beso. Levanto las piernas cuando él tira de mis bragas y me quedo completamente desnuda delante de él. Ahora puede ver cada rincón. Cada vena. Cada una de las suplicantes partes de mi cuerpo.

Cada cicatriz.

Mete la mano debajo de la almohada y saca un pequeño paquete de papel de aluminio. Lo abre y se pone el preservativo. Yo le rodeo la cintura con las piernas, lo cojo con fuerza del pelo y le miro a los ojos.

Quiero ver la profundidad de esos ojos verdes cuando se interne en mí. No quiero ver otra cosa que esos claros y sinceros ojos verdes.

Cuando me penetra siento dolor. Reprimo un grito e intento no arquear la espalda. Blake se detiene cuando está completamente enterrado en mí y apoya todo el cuerpo encima de mí.

Me coge de la mano y se la lleva a la cara. Me besa la muñeca y sigue por el brazo. Me suelta el brazo y hace lo mismo con el otro sin dejar de besar mi muñeca y mi brazo destrozados.

Luego me mira a los ojos, sale de mí muy despacio y se vuelve a internar. Yo separo un poco más las piernas, dejo de sentirme incómoda y miro fijamente el mar verde que tengo ante mis ojos. Me tiene hipnotizada y, cuando empiezo a aceptarlo por completo, apenas oigo lo que me dice.

—Eres preciosa, Abbi, y las cicatrices también. Cada. Una. De. Ellas.

Y yo le creo.

EPÍLOGO

Abbi

Un año después

$\mathcal{T}$amborileo con los dedos en la mesa mientras miro fijamente el sobre que tengo delante. Es grande, y el logo de Juilliard que hay en el cajetín de la dirección me provoca.

Mi futuro está dentro de este sobre. Es la culminación o el fin de todo mi esfuerzo de los últimos doce meses. Es el resultado de todo lo que comenzó siendo mi curación hace ya tanto tiempo, y lo único que me ha ayudado a seguir adelante desde entonces.

Esto es lo que me llevó a Blake.

Y él ya lo sabe. Él ya sabe que el próximo semestre irá a Juilliard, porque al contrario que yo, él no ha tenido miedo de lo que podía encontrar dentro del sobre. Él ha abierto el suyo en cuanto ha entrado por la puerta.

Y de eso hace ya dos horas.

—Abbi —me dice con delicadeza—. Nena, llevas una eternidad ahí sentada. Ábrelo ya.

—He abierto la solapa —protesto sin convicción.

—Abrir la solapa no te va a dar la respuesta que buscas.

—Puede que la carta tampoco.

—No lo sabrás hasta que no lo abras.

Frunzo los labios.

—No quiero saberlo.

Blake se sienta delante de mí y me acerca el sobre.

—Tengo miedo —admito mirando el logo de Juilliard.

—Ya lo sé. Pero lo único peor que la posibilidad de que te digan que no, es no saberlo. Cuanto más esperes, más te costará abrirlo.

—¿Lo haces por mí?

Lo miro.

—Yo ya sé lo que pone esa carta. No hay que ser ningún genio para imaginárselo.

—Pero si no me han admitido... Si no he conseguido entrar en Juilliard... Todo el esfuerzo no habrá servido para nada.

Se me apaga la voz.

—Eso no es verdad. Y te conozco. Volverás a la escuela de Bianca, te dejarás ese precioso culo que tienes, y volverás a restregarles por la cara tu alucinante forma de bailar.

Sonrío.

—Has dicho culo. Y no trasero.

Blake sonríe.

—Estos condenados estadounidenses son una mala influencia.

Pongo los ojos en blanco. Y suspiro.

—De acuerdo, está bien. —Poso la mano encima del sobre—. Lo haré.

Deslizo el sobre por encima de la mesa, le doy la vuelta y se ve el diminuto rasgón que hay en la esquina del sobre.

—¿A eso lo llamas abrirlo?

—Cállate —murmuro metiendo el dedo por el agujero.

Lo deslizo a lo largo del sobre, meto la mano, cojo el papel y lo saco con los ojos cerrados.

—¡Tramposa! —exclama Blake.

—Solo... Un segundo. —Inspiro hondo—. ¿Puedes ver lo que pone?

—No pienso decírtelo. Tendrás que abrir los ojos.

—No quiero que me lo digas. Solo quiero saber si lo ves.

—Estoy asintiendo o negando con la cabeza.

—¡Dios! Eres un crío.

Se ríe.

—Tú también.

—Está bien.

Vuelvo a inspirar hondo y levanto un poco más la carta recordándome que si me han dicho que no tampoco es el fin del mundo. Como ha dicho Blake, siempre habrá otra audición y otra oportunidad el año próximo.

Pero lo deseo. Lo deseo con tantas fuerzas que no puedo soportarlo.

Este sueño me ha ayudado a adueñarme de mi pasado y a vencerlo, he conseguido meterlo en la caja donde debe estar y ahora soy la única que tiene la llave. Este sueño me ha permitido volver a vivir y a amar, y nunca lo había pensado hasta que esta mañana me he tenido que enfrentar a la posibilidad de que, quizá, no se haga realidad este año. Estaba tan concentrada en llegar a Juilliard, que nunca pensé que me podrían rechazar. Nunca quise pensar en lo que ocurriría si me decían que no.

Me recuerdo que ahora soy más fuerte. Ahora soy yo quien controla la depresión, y no al revés. Me he enfrentado a mis demonios y, aunque nunca seré normal, siempre seré yo, con las cicatrices y todo lo que soy. Y eso es suficiente.

Así que tengo que enfrentarme a lo que sea que ponga en esta carta y aceptarlo de la misma forma que he aceptado mi pasado.

Inspiro hondo por tercera vez, aprieto el puño que tengo apoyado en la mesa. Y abro los ojos.

Querida Abbi:

¡Enhorabuena! Nos complace anunciarle que el departamento de Danza de la Escuela Juilliard y el comité de admisiones han aceptado su solicitud para cursar la licenciatura de Danza en Juilliard el próximo curso académico 2011-2012.

Miro a Blake con lágrimas en los ojos. Me tapo la boca y susurro:

—Lo he conseguido.

Él esboza una lenta sonrisa y sus ojos verdes brillan.

—Lo has conseguido.

Lo he conseguido.

El juego de la lujuria

SE ACABÓ DE IMPRIMIR

UN DÍA DE PRIMAVERA DE 2016

EN LOS TALLERES GRÁFICOS DE LIBERDÚPLEX, S.L.U.

CRTA. BV-2249, KM 7,4, POL. IND. TORRENTFONDO

SANT LLORENÇ D'HORTONS (BARCELONA)